논 · 술 · 한 · 국 · 대 · 표 · 문 · 학

59

# 잉여인간

손창섭 | 주요섭 | 전광용 | 최인욱

사랑 손님과 어머니 · 꺼삐딴 리 · 월하취적도 외

**H** 훈민출판사

섬 마을 풍경. 〈흑산도〉는
작가가 직접 답사한 내용을
바탕으로 하여 작은 섬에
운명적으로 매달려 사는 어
민들의 삶을 그리고 있다.

*The Best Korean Literature*

손창섭. 스스로를 가리켜 '육신과 정신의 고아'라고 한 손창섭은
어려서부터 냉혹한 현실 속에 내던져졌으며, 이러한 환경이 손창
섭 문학을 '인간 모멸'의 문학으로 특징짓게 만들었다. 그는 육체
적·정신적으로 불구인 인물들의 무기력한 삶을 그려 보임으로
써, 이전의 한국 소설과는 다른 새로운 장을 열었다.

판잣집. 손창섭의 〈비 오는 날〉은 미군 부대에
서 일하는 동욱과 불구자인 동옥 남매의 우울
하고 절망적인 삶을 그린 작품이다.

전광용은 평범한 개인의 삶을 통해 시대와 역사의 상
처를 드러내 보인다. 〈꺼삐딴 리〉로 대표되는 그의 작
품은 철저한 답사와 자료 수집, 정확한 문장 등으로 구
체성을 획득하고 있다. (사진은 집필실에서의 모습)

〈매일신보〉 신춘문예에 〈시들은 마을〉이 당선되면
서 등단한 최인욱은 전쟁의 체험을 다룬 작품과,
자연과 인간의 합일을 소재로 한 작품을 주로 썼
다.

산사. 〈월하취적도〉는 적막한 산
사를 배경으로 하여 정주와 월숙
이 그려 가는 순정과 죽음을 다
룬 비극적 단편이다.

주요섭 가족 사진. 6·25전쟁 직전 서울 신설동 자택의 뜰에서 가족들과 함께 단란한 한때를 보내고 있다.

*The Best Korean Literature*

주요섭은 휴머니즘을 바탕으로 하여 정갈하고 청아한 느낌을 주는 작품 세계를 선보였으며, 형 주요한과 함께 한국 문학의 기틀을 다졌다.

주요섭 문학비. 경기도 파주시 탄현면 기독교묘지 내에 자리한 주요섭의 묘소 옆에는 12주기를 맞아 세워진 주요섭 문학비가 세워져 있다.

## 구인환(丘仁煥)

서울대학교 사범대학 졸업. 동 대학원 졸업(문학박사)
서울대학교 명예교수, 소설가(현). 서울대학교 사범대학 국어교육연구소 소장(현)
문학과문학교육연구소 소장(현). 국제펜 한국본부 부회장(현)
한국소설문학상(1987) 예술문화대상(1994) 한국문학상(2000)
작품 〈숨쉬는 영정〉, 〈살아 있는 날들〉, 〈일어서는 산〉 외 다수

- **저서** 《한국단편소설의 이해》, 《한국현대소설의 비평적 성찰》,
  《고교생이 알아야 할 소설》, 《고교생이 알아야 할 세계단편소설》 외 다수

## 윤병로(尹柄魯)

성균관대학교 국어국문학과 졸업. 동 대학원 졸업(문학박사)
성균관대학교 교수, 문학평론가(현). 한국현대소설학회장(현)
한국문예학술저작권협회 이사(현). 한국간행물윤리위원회 위원(현)
한국펜 문학상(1987). 한국문학상(1988). 대한민국문학상(1989)
수필집 《나의 작은 애인들》

- **저서** 《현대 작가론》, 《한국 현대 소설의 탐구》,
  《한국 근대 작가 작품 연구》, 《한국 현대작가의 문제작 평설》 외 다수

## 홍성암(洪性岩)

고려대학교 국어국문학과 졸업. 한양대학교 대학원 국어국문학과 졸업(문학박사)
동덕여자대학교 교수, 소설가(현). 한국문인협회 회원(현)
한국소설가협회 이사(현). 국제펜 한국본부 소설분과 이사(현). 한민족 문화학회 회장(현)
창작집 《큰 물로 가는 큰 고기》, 《어떤 귀향》 외
대하역사소설 《남한산성》(전9권) 외 다수

- **저서** 《문학의 이해》, 《현대 작가론》, 《한국 근대 역사소설 연구》 외 다수

기
획
·
감
수

북한강에서 장병들을 위문하고. 앞줄 왼쪽부터 정비
석, 백철, 주요섭, 김용호(1956년)

# 논술 한국대표문학을 펴내며

　21세기의 사회는 '**전자 문명 시대**'라 일컬어질 만큼 오늘날 전자 산업은 우리 생활의 거의 모든 분야에 다양하게 응용되고 있습니다. 출판 분야 또한 예외는 아니어서, 종래의 서책(Book) 대신에 이른바 '전자책(CD-ROM)'의 출간이 최근 들어 날로 증가하고 있습니다.

　그러나 이러한 전자책은 영상 또는 모니터상으로 흥미 위주나 백과사전식 지식을 습득하는 데는 효과적일지 모르지만, 문학 공부를 위해서는 별로 도움이 되지 않습니다. 바꾸어 말하면, 문학 공부는 각 지면마다 살아 숨쉬는 표현 하나하나를 독자 자신의 머리로 음미하면서 작품을 읽어 나가는 가운데, 풍부한 상상력의 배양과 함께 작가의 의도와 그 작품의 내면을 깊이 있게 이해함으로써 이루어지는 것입니다.

　이에 훈민출판사에서는, 자라나는 학생들이 범람하는 영상 매체에 길들여지기 전에, 어려서부터 유명한 세계문학 작품들을 책자를 통하여 감명 깊게 읽고 감상함으로써, 올바른 문학 공부의 기틀을 다지고, 아울러 전인 교육도 할 수 있도록 《논술 한국대표문학(전60권)》을 펴내게 되었습니다.

　작품 선정은, 초·중·고등학교 국어 교과서와 역사 교과서에 실리거나 소개된 문학 작품을 중심으로 하되, 그리스 신화와 성경 이야기 등의 고전에서부터 중세·근대·현대에 이르기까지 세르반테스·셰익스피어·톨스토이 등 세계 유명 작가들의 장·단편 소설들을 엄선·수록하였습니다. 또 세계의 명시도 별권으로 엮었으며, 특히 각 단락마다 '**논술 문제**'를 제시하여, 장차 대학입시를 비롯한 각종 '논술 고사'에 예비 지식을 쌓을 수 있도록 배려하였습니다. 아무쪼록, 이 《논술 한국대표문학(전60권)》이 자라나는 학생들에게 문학 공부의 주춧돌이 되고, 나아가 미래를 살아가는 데 **정신적 자양분**이 되기를 진심으로 바라 마지않습니다.

훈민출판사

# 차례

# 손창섭

잉여인간

비 오는 날

지은이

1922~ 평양에서 출생. 김성한, 장용학과 더불어 50년대를 대표하는 작가
이다. 1953년에 《문예》에 〈공휴일〉이 추천됨으로써 문단에 본격적으로 등장
했다. 손창섭은 실의에 빠진 인간, 좌절한 인간을 사실적인 필치로 그려내 불
안한 사회 상황을 잘 드러낸 작품을 많이 썼다. 그의 대표작 〈잉여인간〉도 착
한 사람을 버린 비정한 사회를 역설적으로 고발한 소설이다.

# 잉여인간

만기치과의원에는 원장인 서만기 씨와 간호원 홍인숙 양 외에도 거의 날마다 출근하다시피 하는 사람 둘이 있다. 그 한 사람은 비분강개파 채익준 씨요, 다른 한 사람은 실의의 인간 천봉우 씨다. 두 사람은 다 같이 서만기 원장의 중학교 동창생이다. 그들은 도리어 원장보다도 먼저 나와서 대합실에 자리잡고 신문을 읽고 있는 날도 있었다. 더구나 채익준은 간호원보다도 일찍 나오는 수가 많았다. 큼직한 미제 자물쇠가 잠겨 있는 출입문 앞에 버티고 섰다가 간호원이 나타날 말이면,

"미스 홍, 오늘은 나에게 졌구려."

익준은 반가운 낯으로 맞이하는 것이었다. 그런 날은 인숙이가 아침 청소를 하는 데 한결 편했다. 한사코 말려도 익준은 굳이 양복저고리를 벗어부치고 소매까지 걷고 나서서 거들어 주기 때문이다. 대합실과 진찰실을 합쳐서 겨우 다섯 평이 될까말까한 방이지만, 익준은 손수 마룻바닥에 물을 뿌리고 방 구석이나 테이블 밑까지도 말끔히 쓸어 내는 것이다. 무슨 일에나 몸을 사리지 않고 앞장을 서는 그의 성품은 이런 데도 잘 나타났다. 청소가 끝나면 익준은 작달막한 키에 가로 퍼진 그 둥실한 몸집을 대합실 의자에 내던지듯 털썩 앉아서 신문을 본다. 그러노라면 원장과 천봉우가 대개 전후해서 나타나는 것이다.

오늘도 간호원을 도와 실내 청소를 마치고 난 익준은 대합실에 자리

잡고 신문을 펴 들었다. 아마도 세상에 그처럼 충실한 신문 독자는 없을 것이다. 이 병원에서 구독하고 있는 두 종류의 신문을 그는 한 시간 이상이나 시간을 소비해 가며 첫줄 처음부터 끝줄 끝자까지 기사고 광고고 할 것 없이 하나도 빼지 않고 죄다 읽어 버리는 것이다. 익준은 또한 그저 신문을 읽는 데만 그치지 않는다. 거기 보도된 기사 내용에 대해서 자기류의 엄격한 비판을 가할 것을 잊지 않는 것이다.

지금도 익준은 신문을 보다 말고 앞에 놓여 있는 소형 탁자를 주먹으로 내리치며 격분하여 고함을 질렀다.

"천하에 이런 죽일 놈들이 있어!"

참지 못해 신문을 든 채 벌떡 일어섰다. 익준은 진찰실로 달려 들어가서 그 신문지를 간호원의 턱 밑에 들이대며,

"미스 홍, 이걸 좀 봐요. 아니, 이런 주리를 틀 놈들이 있어 글쎄!"

눈을 부라리고 치를 부르르 떨었다. 신문 사회면에는 어느 제약 회사에서 외국제 포장갑을 대량으로 밀수입해다가 인체에 유해한 위조품을 넣어 가지고, 고급 외국 약으로 기만 매각하여 수천만 환에 달하는 부당 이득을 취하였다는 기사가 크게 보도되어 있었다. 인숙이가 그 기사를 읽는 동안 익준은 분을 누르지 못해 진찰실과 대합실 사이를 왔다갔다 하며 혼자 투덜거렸다. 이윽고 인숙에게서 신문지를 도로 받아든 익준은 그것을 둘둘 말아 가지고 옆에 있는 의자를 한 번 딱 치고 나서,

"그래, 미스 홍은 어떻게 생각해. 이놈들을 어떻게 처치했으면 속이 시원하겠느냐 말요?"

마치 따지고 들듯 했다.

"그야 뻔하죠 뭐. 으레 법에 의해서 적당히 처벌될 게 아니겠어요?"

그러자 익준은 한층 더 분개해서 흡사 인숙이가 범인이기나 한 듯이 핏대를 세우고 대드는 것이었다.

"뭐라고? 법에 의해서 적당히 처벌될 게라? 아니, 그래 이따위 악질 도배들을 그 뜨뜻미지근한 의법 처단으로 만족할 수 있단 말요! 미스 홍은 그 정도루 만족할 수 있느냐 말요? 무슨 소리요, 어림없소. 이런 놈들은 그저 대번에 모가질 비틀어 버리구 말아야 돼. 아니, 즉각 총살이다. 그저 당장에 빵빵 하구 쏴 죽여 버리구 말아야 돼. 그리구두 모가지를 베어서 옛날처럼 네거리에 효수를 해야 돼요. 극형에 처해야 마땅하단 말요!"

"어마, 선생님두 온. 끔찍스레 그렇게까지 할 게 뭐예요!"

"끔찍하다? 아 그럼, 그놈들을 몇만 환의 벌금이다, 몇 년 징역이다, 하구 감방 속에 피신시켜 놓구 잘 처먹구 낮잠이나 자게 하다가 세상에 도로 내놔야 옳단 말요?"

익준은 잠시 인숙을 노려보듯 하다가,

"이거 봐요, 미스 홍. 우리가 누구 때문에 이렇게 못 사는지 알우? 우리 나라는 누구 때문에 이렇게 피폐해 가는지 알우? 모두가 이따위 악당들 때문이오. 이거 봐요. 그런 놈들은 말야, 이완용이나 마찬가지 역적이오! 나라야 망하든 말든 동포들이야 가짜 약을 사 쓰고 죽든 말든 내 배때기만 불리면 그만이라구 생각하는 그딴 놈들은 살인 강도 이상의 악질범이오. 그런 놈들을 극형에 처하지 않으니까 유사한 사건이 꼬리를 물구 발생한단 말이오. 난 그놈들의 뼈를 갈아마셔두 시원치 않겠소⋯⋯."

익준은 아직도 불을 끄지 못해 이를 가는 것이었다. 그는 대합실 의자에 돌아가 앉아서 다른 기사들을 읽어 내려가다가도 갑자기 땅이 꺼지게 한숨을 푹 내쉬고는,

"천하에 죽일 놈들 같으니⋯⋯."

내뱉듯 하고 비참한 표정을 짓는 것이었다.

그가 나머지 기사를 죄다 주워 읽고 차츰 흥분도 가라앉을 때쯤 해서야 이 병원의 주인이 나타났다. 서만기 원장은 언제나처럼 부드러운 미소를 보이며 가방을 들고 문 안에 들어선 것이다.

"어서 나오게!"

익준은 늘 하는 식으로 인사를 건네고 나서 만기가 흰 가운을 걸치고 자리에 앉기가 바쁘게,

"여보게 만기, 세상에 그래 이런 날도둑놈들이 있나!"

그렇게 개탄하고 신문을 펴 들고 만기 곁으로 가 앉는 익준의 얼굴은 흥분으로 도로 붉어지기 시작했다. 만기는 여전히 품위 있는 미소를 머금은 채,

"그러지 않아두 집에서 신문을 보구 자네가 또 몹시 격분했으리라 짐작했네."

그러면서 담배 케이스를 열고 먼저 익준에게 권하였다. 권하는 대로 익준은 손을 내밀어서 한 대 뽑아 들었다.

"이게 나 혼자만 격분할 일인가? 그럼 자네나 딴 사람들은 심상하다 그 말인가?"

"아니지. 남달리 정의감과 의분이 강한 자네니까 남보다 몇 배 격분하지 않을 수 없으리란 말일세. 그렇지만 혼자 흥분해서 펄펄 뛰면 뭘 하나?"

만기도 탄식하듯 하였다. 둘이는 담배에 불을 붙여 물었다.

"정의감의 강약이 문젠가, 이 사람아. 그래 이런 극악무도한 놈들을 보구 가만 있을 수 있겠나. 가슴속에서 불덩이가 치미는데 잠자코 있을 수 있느냐 말야."

익준은 만기가 함께 흥분해 주지 않는 것이 불만인 모양이었다. 그때 마침 봉우가 기척도 없이 슬그머니 문 안에 들어섰다. 언제나 다름

없이 수면 부족이 느껴지는 떠름한 얼굴이다. 그는 먼저 인숙이 쪽을 바라보고, 다음에 만기와 익준을 번갈아 보면서 멋쩍게 씩 하고 웃었다. 그리고는 거의 자기 자리로 정해진 대합실 소파의 맨 구석 자리에 조심히 걸터앉았다. 그러자 자기의 흥분을 같이 나눠 줄 사람이 나타났다는 듯이 익준은 탁자 위에 놓았던 신문을 집어서 봉우 눈앞에 바로 가져다 댔다.

"봉우, 이것 봐. 글쎄 능지 처참할 놈들이 있느냐 말야!"

익준은 핏대를 세우며 다시 흥분하기 시작했다. 봉우는 선잠을 깬 사람처럼 어릿어릿한 표정으로 익준을 쳐다보았다. 희미하게 웃었다. 그리고 흥미 없는 듯이 신문을 받아들었다.

"뭐 말야!"

"뭐 말이야가 뭐야, 이런 빙충이 같은 녀석. 아 그래 자네 눈깔엔 이게 안 뵌단 말야?"

화가 동해서 견딜 수 없다는 듯이 익준은 손가락 끝으로 톱 기사의 주먹 같은 활자를 찔렀다. 봉우는 강요당하듯이 제목을 입속말로 읽고 있었다. 내용은 마지못해 두어 줄 읽다가 말았다. 이어 딴 제목들을 대강 훑어보고 나서 봉우는 도로 신문을 접어서 탁자 위에 얹었다. 그러더니 만기와 익준을 번갈아 쳐다보고 웃으려다가 말았다. 익준은 더 참을 수 없다는 듯이 고함을 질렀다.

"왜 아무 말이 없는 거야?"

봉우는 동정을 구하듯 하는 눈동자로 만기와 익준을 번갈아 보았다.

"임마, 그래 넌 아무렇지두 않단 말야? 눈뜬 채 코를 베어 먹히구두 심상하단 말야?"

"누가 코를 베어 먹혔대? 난 잘 안 봤어!"

봉우는 얼른 신문을 다시 집어들었다. 그러자 익준은 그 신문지를 홱

낚아채서는 탁자 위에다 힘껏 동댕이를 치고 나서,

"이런 쓸개 빠진 녀석…… 에잇, 난 다신 자네들과 얘기 않네!"

우쭐해 가지고 홱 돌아서더니 댓바람에 문을 차고 나가 버렸다.

익준이 다시는 안 올 듯이 밖으로 사라지자 한동안 어리둥절하고 있던 봉우는 다시 신문을 집어들고 기사 제목을 대강 더듬어 보기 시작하였다. 봉우는 언제나 그랬다. 거슴츠레한 낯으로 대합실에 나타나면, 익준이가 한 자 빼지 않고 샅샅이 읽고 놓아 둔 신문을 펴 들고, 건성건성 제목만 되는대로 주워 읽고 마는 것이다. 그러고 나서는 진찰을 받으러 온 환자처럼 말없이 우두커니 앉아서 시간을 보내는 것이다. 그의 시선은 자주 간호원에게로 간다. 그 때만은 그의 눈도 노상 황홀하게 빛난다. 그러다가 간호원과 시선이 마주치면 봉우는 당황한 표정으로 외면해 버리는 것이다. 빼빼 말라 붙은 몸집에 키만 멀쑥하게 큰 그는 언제나 말이 적고, 그림자처럼 조용하다. 어딘가 방금 자다 깬 사람 모양 정신이 들어 보이지 않는 표정을 하고 있다. 하기는 그는 대합실 구석 자리에 앉은 채, 곧잘 낮잠을 즐긴다. 봉우의 낮잠 자는 모양이란 아주 신기하다. 소파에 앉은 대로 허리와 목을 꼿꼿이 펴고 깍지 낀 두 손을 얌전히 무릎 위에 얹고는 눈을 감고 있다. 그러고 자는 것이다. 그는 밤에 집에서 잘 때에도 자세를 헝클지를 않는다고 한다. 천장을 향하고 반듯이 누우면 다음 날 아침까지 몸을 움직이지 않고 그대로 잔다는 것이다. 그러한 봉우는 언제나 수면 부족을 느끼고 있다고 한다. 그것은 6·25전쟁을 치르고 나서부터 현저해졌다는 것이다. 전차나 버스를 타도 자리를 잡고 앉기만 하면, 그는 으레 잠이 들어 버린다. 그렇지만 자다가도 그는 자기가 내릴 정류장을 지나쳐 버리는 일이 없다. 자면서도 그는 차장의 고함 소리를 꿈 속에서처럼 어렴풋이 듣고 있기 때문이다.

밤에 집에서 잘 때에도 그렇다. 자는 동안에도 그는 주위에서 일어나는 소리를 다 들을 수 있다. 재깍재깍 시계 돌아가는 소리, 천장이나 부엌에 쥐 다니는 소리, 아내나 아이들의 잠꼬대며 바깥의 바람 소리까지도 들으면서 잔다. 말하자면 봉우는 오관 중 다른 감각 기관들은 다 자지마는 청각만은 늘 깨어 있는 셈이다. 그러니까 자연 깊은 잠을 이루지 못한다. 그렇게 된 이유를 그는 6·25전쟁으로 돌리는 것이다. 피난 나갈 기회를 놓치고 적치 3개월을 꼬박 서울에 숨어 지낸 봉우는 빨갱이와 공습에 대한 공포감 때문에 잠시도 마음 놓고 깊이 잠들어 본 적이 없다고 한다. 밤이나 낮이나 24시간을 조금도 긴장을 완전히 풀어 본 일이 없다는 것이다. 그처럼 불안한 긴장 상태가 어느덧 고질화되어 오늘까지도 지속되고 있다는 것이다. 그러기에 꼬집어 말하면 그는 자면서도 깨어 있고 깨어 있으면서도 자고 있는 상태인 것이다. 까닭에 그는 밤낮없이 자면서도 항시 수면 부족을 느끼지 않을 수 없는 모양이다. 그것은 단지 육체적으로 오는 증상이기보다는 더 많이 정신적인 데서 결과하는 심리적 현상인 것이다.

이러한 봉우는 자연 무슨 일에나 깊은 관심과 정열을 기울이지 못하는 것이었다. 중학 시절에는 그토록 재기 발랄하고 야심가였던 그가 일단 현실 사회에 몸을 담그고 부대끼기 시작하면서부터 차츰 무슨 일에나 시들해지기 시작하더니, 전란 통에 양친과 형제를 잃고 난 다음부터는 영 딴 사람처럼 인간 만사에 흥미를 잃은 사람이 되어 버리고 말았다. 심지어 그는 자기 아내에게까지 남편다운 관심과 구실을 다하지 못하고 있는 것이다. 한 달이면 절반은 사업을 합네 혹은 친정에 가 있습네 하고 집을 비우기가 일쑤인 봉우 아내는 여러 가지 불미한 소문을 퍼뜨리고 다녔다. 그 여자는 본시 평판이 좋지 못하였다. 봉우와 결혼한 지 여덟 달 만에 낳은 첫아기가 봉우의 친자식이 아니라는 것은 가까운 사람들은 다 알고 있는 사실이었다. 둘째 아이 역시 누구의 씬지 알 게 뭐냐고 봉우 자신도 신용을 하려 들지 않았다. 그러면서도 둘이 헤어지지 않고 지내는 것이 이상한 일이었다. 그러나 거기에는 그럴 만한 이유가 있으리라고 만기는 생각하는 것이다. 이를테면 활동 의욕과 생활력을 완전히 상실하다시피 한 봉우는, 아내의 부양에 의존하는 수밖에 없었고, 경제 활동이 비범한 봉우 처는 무슨 짓을 하며 나가 돌아다녀도 말썽을 부리지 않으니 어쨌든 봉우가 편리한 남편이었는지도 모르는 것이다. 아무튼 봉우는 그만큼 가정에 대해서나 세상일에 무관심한 인간이었다. 이상한 것은 그러면서도 단 한 가지 간호원 인숙 양을 바라볼 때만은 잠에서 덜 깬 사람같이 언제나 거슴츠레하던 그의 눈이 깨어 있는 사람의 눈답게 빛나는 것이었다. 봉우는 인숙을 사랑하고 있는 성싶었다. 그러고 보면 봉우가 날마다 이 병원 대합실을 찾아와서 시간을 보내는 것도 오로지 인숙을 보기 위해서인지도 모른다. 그것은 그의 다음과 같은 거동으로서도 짐작할 수 있는 일이었다. 퇴근 시간이 되어 만기와 인숙이가 병원 문을 잠그고 한길로 나서면 물론 봉우도 그림자처럼 따라나선다. 그러면 인숙은 만기와 봉우에게 인사를 남기고 헤어져 전차 정류장 쪽으로 간다. 거기서 인숙이가 전차를 기다리다 보면 어느 새 봉우가 옆에 척 따라와 서 있는 것이다.

"어마, 선생님 어디 가셔요?"

인숙이가 의외란 듯이 물으면, 봉우는 아이들 모양 손을 들어 한 방향을 가리키며,

"저어기 좀⋯⋯."

그리고는 자기도 같이 전차를 기다리는 것이다. 인숙이가 전차를 타면 얼른 봉우도 따라 오른다. 전차 안에서도 봉우는 별로 말이 없이 인숙이 곁에 서 있다가 인숙이가 내리면 그도 따라 내리는 것이다. 인숙

은 한참 앞서 걷다가 자기 집 골목 어귀에 이르러 걸음을 멈추고,

"그럼 안녕히 다녀가세요."

머리를 숙이고 나서 인숙이가 빠른 걸음으로 골목길을 걸어 들어가면, 봉우는 처량한 표정을 하고 서서 인숙의 뒷모양을 지켜보다가 보이지 않게 되어서야 풀이 죽어서 발길을 돌이키는 것이었다. 봉우는 거의 매일 그러하였다. 어떤 기회에 인숙에게서 우연히 그 이야기를 들었을 때 만기는 단순히 웃어 버릴 수만은 없었던 것이다.

만기와 익준이와 봉우는 중학 시절에 비교적 가깝게 지낸 사이지만 가정 환경이나 취미나 성격이나 성장해서의 인생 태도는 판이하게 달랐다. 만기는 좀처럼 흥분하거나 격하지 않는 인물이었다. 그렇다고 활동적인 타입도 아니지만 봉우처럼 유약한 존재는 물론 아니었다. 반대로 외유내강한 사내였다. 자기의 분수를 알고 함부로 부딪치지도 않고 꺾이지도 않고 자기의 능력과 노력과 성의로써 차근차근 자기의 길을 뚫고 나가는 사람이었다. 아무리 놀라운 일에 부닥치거나 비위에 거슬리는 사람을 대해서도 도리어 반감을 느낄 만큼 그는 침착하고 기품 있는 태도를 잃지 않는다. 그것은 본시 천성의 탓이라고도 하겠지만, 한편 그의 풍부한 교양의 힘이 뒷받침해 주는 일이기도 하였다. 문벌 있는 가문에 태어나서 화초 가꾸듯 정성 어린 어른들의 손에서 구김살 없이 곧게 자라난 만기는 예의범절이 자연스럽게 몸에 배어 있을 뿐 아니라, 미술, 음악, 문학을 비롯해서 무용, 스포츠, 영화에 이르기까지 깊은 이해와 고급한 감상안을 갖추고 있었다. 크레졸 냄새만을 인생의 유일한 권위로 믿고 있는 그런 부류의 의사와는 달랐다. 게다가 만기는 서양 사람처럼 후리후리한 키와 알맞은 몸집에 귀공자다운 해사한 면모를 빛내고 있었다. 또한 넓고 반듯한 이마와 맑고 잔잔한 눈은 그의 총명성

과 기품을 설명해 주고 있었다. 누구를 대해서나 입을 열 때는 기사가 바둑돌을 적소에 골라 놓듯이 정확하고 품 있는 말을 한 마디 한 마디 신중히 골라 썼다. 언제나 부드러운 미소와 침착한 언동으로 남에게 친절히 대할 것을 잊지 않았다. 좋은 의미에서 그는 영국풍의 신사였다. 자연 많은 사람 틈에 섞이면 군계일학 격으로 그의 품격은 더욱 두드러져 보였다. 그는 한편, 같은 치과 의사들 가운데서도 기술이 출중한 편이었다. 그러면서도 현재는 근방에 있는 딴 치과에게 많은 손님을 뺏기고 있는 형편이었다. 그것은 단지 시설이 빈약하고 병원 건물이 초라한 까닭이었다. 그렇지만 지금의 만기로서는 딴 도리가 없었다. 좀더 많은 손님을 끌기 위해서는 목 좋은 곳에 아담한 건물을 얻어 최신식 시설을 갖추는 길밖에 없는데, 현재의 경제 실정으로는 요원한 꿈이 아닐 수 없었다. 이나마도 병원 건물은 물론 시설 일체가 만기 자신의 것이 아니었다. 건물이나 기구 일습이 봉우 처가의 소유물인 것이다. 봉우의 장인이 생존했을 당시 빚값에 인수했던 담보물이었는데, 막상 팔아 치우려고 하니 워낙 구식인데다가 고물이어서 값이 나가지 않기 때문에 6·25전쟁 이래 줄곧 세를 놓아 오던 터였다. 그걸 봉우의 소개로 만기가 빌려 쓰게 되었던 것이다. 다달이 그 셋돈을 받으러 오는 것은 봉우 처였다. 친정에 가서도 도리어 오빠들보다 발언권이 강한 봉우 처는 종내 오빠를 휘어잡아 병원 건물과 거기에 딸린 시설을 거의 자기 소유나 다름없이 만들어 놓았던 것이다. 이 분방하기 이를 데 없는 봉우 처로 말미암아 만기는 난처한 일을 당한 적이 한두 번이 아니었다. 봉우 처는 툭하면 병원을 찾아왔다. 한 달에 한 번씩 셋돈을 받으러 들르는 외에도 치석이 끼었느니, 입치가 어떠니, 충치가 생기는 것 같다느니 핑계를 내걸고 걸핏하면 나타나는 것이었다. 그 때마다 봉우 처는 짙은 화장과 화려한 의상으로 풍요한 육체를 장식하고 있었다. 그러한 경우 물론 봉우 부부는 대합실에서 서로 얼굴을 대하게 마련이나 잠깐 보고는 그만이다. 모르는 사이처럼 담담한 표정으로 말을 거는 일조차 거의 없다. 봉우는 이내 도로 반수반성(반은 깨고 반은 잠든 흐릿한 상태) 상태에 빠지고, 그 아내는 만기에게 친밀한 미소를 보내며 다가앉는 것이다. 얼마 전 치석 소제를 하러 왔을 때 일이다. 얼굴을 젖히게 하고 만기가 열심히 이 사이를 긁어내고 있노라니까 눈을 감고 가만히 있던 봉우 처가 슬며시 만기의 가운 자락을 잡아당겼다. 그러면서 눈을 감은 채 배시시 웃었다. 만기는 내심 적지않이 당황하여 얼른 봉우 아내의 손을 뿌리치려고 했지만 여인은 손에 더욱 힘을 주어서 끌어당겼다. 만기는 할 수 없이 봉우나 딴 사람이 눈치채지 못하도록 몸으로 가리듯이 하여 다가서서 하던 일을 계속했다. 대강 치석을 긁어내고 양치질을 시켰다. 봉우 처는 그제야 만기의 가운 자락을 틀어쥐고 있던 손을 놓고 컵에 준비된 물을 머금고 울렁울렁 입을 부셔 댔다. 그러더니,

"아파서 그랬어요!"

만기를 쳐다보며 변명하듯 애교 있게 웃었다.

언젠가 한번은 이런 일도 있었다. 충치가 생긴 것 같아 들렀다고 하며 눈이 부시게 차리고 나타난 봉우 처는, 만기의 지시도 없이 치료 의자에 성큼 올라앉았다. 만기가 다가가서 어디 입을 벌려 보라고 하니까 봉우 처는 지그시 눈을 찌그리며 웃어 보이고는 일부러 그러듯이 입술을 오물오물하다가 겨우 삼분의 일쯤 벌리고 말았다.

"좀더 힘껏, 아아."

그래도 여자는 다시 입술을 오물오물해 보이고는 역시 삼분의 일쯤 벌리고 그만이었다. 그리고는 미태를 담뿍 담은 눈으로 연방 소리없이 웃었다. 그 때부터 만기는 의식적으로 봉우 처를 경계하지 않을 수 없었던 것이다. 본시가 만기에게는 여자들이 많이 따르는 편이었다. 여자

들은 기회만 있으면 만기에게 지나친 호의를 보이려고 애쓰곤 하였다. 사철을 가리지 않고 국산지 춘추복 한 벌로 몇 년을 두고 버티어 오는 가난한 치과 의사지만, 귀공자다운 그의 기품 있는 풍모와 알맞은 체격과 교양인다운 세련된 언동이 여자들로 하여금 두말없이 매혹케 하는 모양이었다. 심지어는 그의 처제까지도 그를 사모하고 있는 것이었다. 그러기에 그 부인이 가끔 농담삼아 만기에게 이런 말을 걸어오는 것도 무리가 아니었다.

"결코 잘난 남편을 섬길 게 아닌가 봐요!"

"그게 무슨 소리요? 대체."

"모두들 당신에게 눈독을 들이구 있으니, 미안하기두 하구, 민망하기 두 해서 그래요!"

"온, 별소릴 다…… 그래 내가 그렇게 잘났던가?"

물론 그러고 둘이 다 농담으로 웃어 넘기고 마는 일이었으되 만기 자신, 이상히도 여자들이 자기를 따르고 있다는 사실을 부인할 수는 없었다. 그러고 보면 병원을 찾아오는 단골 환자의 대개가 젊은 여자들이라는 사실도 무심히 보아 넘길 일만은 아니었다. 많은 여자 환자 가운데는 여러 가지 방법으로 만기에게 호감을 보이려 드는 사람도 있었다. 한 주일이면 끝날 치료를 자진해서 열흘 내지 보름씩 받으러 다닌다거나 완치된 다음에도 사례라고 하며 와이셔츠나 양복지 같은 것을 사 들고 일부러 찾아오는 여자가 결코 한둘에 그치지 않았다. 그 때마다 여자들의 단순하지 않은 호의를 물리치기에 만기는 진땀을 빼곤 했던 것이다. 그러한 여성들 가운데는 외모로나 교양으로나 퍽 매력적인 상대가 없지도 않아서, 만기의 맑고 잔잔한 마음속에 뜻하지 않았던 잔물결을 일으키는 경우도 간혹 있는 일이었다. 그러나 그저 그것뿐이었다. 사랑하는 주위 사람들에게 깊은 상처를 주고 싶지 않았다. 비극이 두려웠다. 더구나 현대적 의미에서의 현모양처인 아내를 생각하면 부질없는 마음 구석의 잔물결도 이내 가라앉아 버리고 마는 것이었다. 십 년 가까이나 가난한 살림에 들볶이면서도 한결같이 변함없는 애정과 신뢰로써 남편을 섬겼고, 심혈을 쏟아 어린것들을 보살펴 오는 아내의 쪼들리는 모습을 눈앞에 그려 볼 때, 만기는 꿈에라도 딴 생각을 품어 볼 수가 없었다. 그러기 아름다운 여성 환자의 지나친 호의를 물리친 날이면 만기는 으레 아내가 좋아하는 물건을 무엇이고 사 들고 돌아가는 것이었다. 신혼 때나 다름없이 지금도 대문께까지 달려나와 남편을 맞아들이는 아내에게 사 갖고 온 물건을 들려 주고 나서 까칠해진 아내의 손을 꼭 쥐어 주며,

"고생시켜 미안허우!"

혹은,

"나이 들며 더 예뻐지는구려!"

그리고는 봄볕처럼 다사로운 미소를 아내 얼굴에 부어 주는 만기였다.


그러한 만기라, 봉우 처에 대해서는 항시 경계해 오고 있었지만, 요즘 와서 은근히 골치를 앓지 않을 수 없었다. 만기에 대한 봉우 처의 접근 공작이 너무나 집요하고 대담하게 나타나기 시작했기 때문이다. 어제만 해도 만기는 봉우 처를 딴 장소에서 만나지 아니할 수 없었다. 며칠 전부터 병원 건물 시설에 관해서 긴급히 의논할 일이 있으니, 꼭 좀 만나 달라는 연락이 오곤 했다. 그 때마다 만기는 바쁘기도 하고 몸도 좀 불편해서 지정한 장소까지 나갈 수가 없으니 안되었지만 병원으로 내방해 줄 수는 없느냐는 회답을 보냈던 것이다. 그러나 봉우 처에게서는 자기도 여러 가지 사정으로 찾아갈 수가 없으니 꼭 좀 나와 달라는 쪽지를

사람을 시켜서 거푸 보내오는 것이었다. 어제는 마침내 자기와의 면담을 고의적으로 회피하는 것은 결국 자기를 공공연히 모욕하는 행위라는 위협조의 연락이 왔던 것이다. 그래서 만기는 할 수 없이 퇴근하는 길로 지정한 다방에 봉우 처를 만나러 갔던 것이다. 여자는 역시 여왕처럼 성장을 하고 먼저 와 있었다.

"고마워요. 귀하신 몸이 이처럼 행차해 주셔서."

만기에게 맞은쪽 자리를 권하고 나서 여자는 친밀한 미소와 함께 약간 비꼬는 어투로 인사를 던져 왔다.

"퍽 재미있는 농담이십니다."

만기가 그랬더니,

"선생님은 농담을 덜 좋아하실지 모르겠군요. 워낙 고상한 신사시니까."

그래서,

"너무 기술적인 용어에는 전 대답할 자신이 없습니다."

만기는 그러고 가볍게 웃어 보였다. 봉우 처는 만기의 의향을 묻지도 않고, 오렌지 주스 두 잔을 시켰다. 그것을 마셔 가면서 대체 의논할 일이란 무엇이냐고 만기 편에서 먼저 물었다.

"다른 게 아니라, 병원 건물이 하두 낡아서 전면적인 수릴 해야겠어요."

그래서 병원 옆에 있는 사무실이나 아래층 가게들에서는 셋돈을 인상하는 동시에 3개월분씩 선불을 받기로 했다는 것이다.

"그렇지만 여러 가지 점으로 선생님께만은 말씀드리기가 안되어서 어떻게 할까 망설이다가 솔직히 의논해 보려구 뵙자구 헌 거예요."

여자는 말을 마치고 만기의 얼굴을 살짝 치떠보았다. 아닌게아니라 만기로서는 아픈 이야기였다. 현재도 매달 셋돈을 맞춰 놓기에 쩔쩔매는 판이었다. 게다가 석 달치 선불이란 거의 불가능에 가까운 일이었다.

"얼마나 올려 받으실 예정이십니까?"

"3할은 올려 받아야겠어요. 그 근처에서들은 다들 그 정도 받는걸요."

"그럼, 우리 옆 사무실이나 아래층 가게에서들은 이미 양해를 얻으셨습니까?"

그러자 여자는 만기의 얼굴을 정면으로 쳐다보며,

"선생님, 우리 그런 사무적 얘기는 딴 데 가서 하십시다. 이런 장소에선 싫어요. 제가 저녁을 대접하겠어요. 늘 폐를 끼쳐 왔으니까요."

그러고는 만기가 뭐라고 할 사이도 없이 여자는 일어서 카운터로 가서 셈을 치르고 밖으로 나가는 것이었다. 만기가 어리둥절해서 따라 나가자 봉우 처는 어느 새 택시를 불러 세웠다.

"먼저 오르세요!"

만기는 다음 날 다시 만나 사무적으로 타협하기로 하고, 우선 빠져 돌아가려고 했으나,

"고의로 남의 호의를 무시하는 건 신사도가 아니에요."

여자는 만기를 차 안으로 떼밀듯이 했다. 번잡한 길거리에서 승강이를 할 수도 없고 해서 만기는 시키는 대로 차에 오를 수밖에 없었다. 십분도 채 달리지 않아서 택시는 어느 음식집 앞에 닿았다. 여염집들 사이에 끼여 있는 그 음식집은 외양과 달리 안에 들어가 보면 방도 여러 개 있고 제법 아담하게 꾸며져 있었다. 봉우 처는 그 집 마담과는 친숙한 사이인 모양이라 허물없는 인사를 나누고 나서,

"별실 비어 있니?"

하고 물었다. 마담은 호기심에 찬 눈으로 만기를 힐끔 쳐다보고,

"별실 3호가 비어 있을 거야. 그리루 모셔."

그리고는 안을 향하고

"별실 3호실에 두 분 손님!"

소리를 질렀다. 열대여섯 살 먹은 소녀가 조르르 달려나와 안내를 하였다. 자그마한 홀을 지나 긴 복도를 휘어도니 저쪽으로 돌아앉은 참한 방이 있었다.

"이 집 마담, 여학교 동창예요. 그래서 귀한 손님을 대접할 일이 있으면 가끔 오죠."

여자는 묻지도 않는 말을 하고 다가와서 만기의 양복 저고리를 벗기려고 했다. 만기는 얼른 제 손으로 벗어서 벽에 걸려고 했다. 그러자 여자는 그것을 낚아채듯 뺏어서 옷걸이에 얌전히 걸었다. 조그만 식탁을 사이에 하고 마주 앉아 여자는 만기를 쳐다보며 피로한 듯한 미소를 짓고 가늘게 한숨을 토했다. 소녀가 물수건과 찻물을 날라 왔다. 봉우 처는 이 집은 갈비찜이 명물이라고 하고 약주와 함께 안주와 음식을 시켰다. 소녀가 사라지자 여자는 식탁에 기대어 두 손으로 턱을 괴고 한동안 가만히 있었다. 왜 그런지 몹시 피로해 보였다. 삼십을 한둘 남긴 여자의 무르익은 모습은 어떤 요염한 독소조차 느끼게 해 주었다. 만기도 까닭 모를 피로감과 함께 저절로 긴장해졌다.

"병원 시설을 사겠다는 사람이 있어요. 헐값이지만 고물이라서 차라리 팔아 치울까 해요!"

여자는 만기를 빠끔히 쳐다보며 엉뚱한 소리를 했다. 만기는 속으로 놀랐다. 여자의 마음을 얼른 파악하기 힘들었다. 진담인가, 그렇지 않으면 야비한 복선인가. 어느 쪽이든 만기에게는 타격이었다. 그 시설은 지금의 만기에게 있어서 생명선이나 다름이 없었기 때문이다. 그러나 만기는 그러한 내심을 조금도 표면에 비치지 않고 태연히 듣고만 있었다.

"낡아빠진 그 시설을 쓰기에는 선생님의 탁월한 기술이 아까워요. 그래서 작자가 나선 김에 팔아 치우고 선생님에게는 현대적인 최신식 시설을 갖춰 드리구 싶어서 그래요. 제게 그 정도의 자금은 마련되어 있어요!"

여자의 음성과 표정이 왜 그렇게 차분차분할까? 거기에는 심리적 호흡의 기술이 필사적으로 적용되고 있었다. 그러기에 아까 다방에서 내논 말과는 아주 딴 얘기라는 점을 노골적으로 지적해 줄 수가 없었다.

"경제적 면에서 제게는 그런 최신 시설을 빌릴 만한 능력이 없습니다."

"셋돈 말씀이죠?"

여자는 간격 없이 웃고 나서,

"선생님이 독립하실 수 있을 때까지 오 년이구 십 년이구 그냥 빌려 드려두 좋아요!"

만기는 대답할 말이 없었다. 상대편에서 이렇게 자꾸 엉뚱하게만 나오니 더욱 조심해질 뿐이었다.

"이상하게 생각하실 건 없어요. 이왕 놀고 있는 돈이 있으니까 제가 존경하고 있는 선생님에게 조금이라도 편리를 봐 드리구 싶은 것뿐예요!"

순간 여자의 표정이 놀랄 만큼 진지한 빛으로 변했다. 만기는 봉우 처의 이러한 얼굴을 본 일이 없었다.

마침 주문한 음식이 들어오기 시작했다. 식사를 하는 동안 봉우 처는 소매를 걷고 마치 남편에게 하듯 잔시중까지 들었다. 만기는 음식을 먹으면서도 마음이 조마조마했다. 아무래도 심상치 않은 예감이 들었기 때문이다. 만기의 그러한 예감은 마침내 적중하고야 말았다. 식사가 거의 끝나갈 무렵, 봉우 처는 상 밑에서 한쪽 발을 슬며시 만기의 무릎 위에 얹었다. 그리고는 지그시 힘을 주며 요염한 웃음을 쏟았다. 그 눈이 불 같았다. 만기는 꽤 당황했지만 시선을 피하며 슬그머니 물러앉았다. 여자는 발끝으로 움츠리는 만기의 무릎을 쿡 지르고 어깨를 으쓱해 보였다. 이미 전기가 들어와 있었다. 잠시 멋쩍게 앉아서 먹다 남은 음식들에 공연히 젓가락질을 하다 말고 여자는 갑자기 자리를 떠서 밖으로 나가 버렸다. 한참 동안 여자는 돌아오지 않았다. 만기는 어지간히 불쾌하고 불안한 생각에 앉았다 섰다 하며 마음의 자세를 가다듬었다. 십 분 이상 지나서야 여자는 돌아왔다. 대번 알아보게 얼굴에는 주기가 돌았다. 여자는 방 안에 들어서면서 안으로 문고리를 잠갔다. 짤그락 하는 소리가 이상하게 도전적이었다. 여자는 다시 창문의 커튼까지 내리고 제자리에 가 앉았다. 초가을 저녁 무렵이지만 밀폐되다시피 한 실내는 한증 속처럼 더웠다. 여자는 술잔을 들어 만기 앞으로 내밀며,

"따라 주세요!"

명령조였다. 원래 만기는 한두 잔밖에 못하기 때문에 주전자에는 술이 거의 그대로 남아 있었다. 만기는 한 손으로 주전자 뚜껑을 누르고,

"인제 그만 돌아가실까요. 오늘은 정말 오래간만에 포식했습니다."

달래듯 했다.

"내버려 두세요. 거룩하신 선생님 눈엔 제가 사람같이 안 보일 테니까요."

여자는 무리로 주전자를 뺏어서 자기 손으로 따라 마셨다. 안주도 안 먹고 거푸 물 마시듯 했다. 만기는 겁이 났다. 이 이상 취하면 어떤 추태를 부릴지도 모른다. 버려 둘 수가 없었다. 만기는 간신히 술주전자를 뺏어 감추었다. 그러자 여자는 그것을 도로 뺏으려고 덤벼들었다. 앉은 채 잠시 붙잡고 돌아갔다. 주전자를 떨어뜨려서 술이 엎질러졌다. 여자는 그것을 훔칠 생각도 않고 만기 무릎 위에 쓰러지듯 푹 엎드려져 버리고 말았다.

"골샌님."

여자는 어린애처럼 어깨를 추며 울기 시작했다.


대합실 문 밖에서 웬 소년이 안을 기웃거리고 있었다.

"너, 웬 아이냐?"

간호원이 먼저 발견하고 물었다. 소년은 대답 없이 조심히 문을 밀고 들어섰다. 여남은 살 먹었을 그 소년의 얼굴은 제법 귀염성 있게 생겼지만 거지 아이나 다름없는 꼴을 하고 있었다.

"여기가 병원이죠?"

소년은 어릿어릿하며 조그만 소리로 간호원에게 물었다.

"그래, 너 어째서 왔니?"

소년은 이번에도 대답을 않고 대합실과 진찰실 안을 두리번거리고 나

서,

"울아버지 안 오셨어요?"

영문 모를 질문을 했다. 테이블 앞에 앉아서 외국 잡지를 뒤적이고 있던 만기가,

"너의 아버지가 누구냐?"

물으니까,

"울아버지 채익준 씨야요."

그러고 소년은 다시 한 번 방 안을 둘러보았다.

"오, 너 익준이 아들이구나!"

만기는 일어나 소년 옆으로 다가갔다. 좀 불안한 표정을 하고 섰는 소년의 손목을 잡아서 옆 의자에 앉히고 만기도 소파에 마주 앉았다.

"너 아버지 찾아왔구나. 이름이 뭐지?"

"채갑성이에요!"

"나이는?"

"열한 살예요!"

만기가 친절히 말을 걸어 주는 바람에 안심이 되었는지,

"울아버지는 안 오셨어요?"

"아버진 아침에 잠깐 다녀 나가셨는데…… 그래, 너 왜 아버질 찾아왔니?"

"어머니가 아버지 찾아오랬어요. 어머니 죽을 것 같대요."

소년에게는 여동생 하나와 남동생 하나가 있어서 외할머니까지 합치면 모두 여섯 식구라고 한다. 그런데 지금까지 집안 살림의 중심이 되어 오던 모친이 반 년 가까이나 병석에 누워 지낸다는 것이다. 모친은 자리에 눕기까지 생선 장사를 했다는 것이다. 아이들이 자고 있는 꼭두새벽에 첫차로 인천에 가서 생선을 한 광주리 받아 이고는 서울로 되

돌아와서 행상을 하였다는 것이다. 모친이 병으로 누운 다음부터는 오십이 넘은 외할머니가 어머니 대신 생선 장사를 해서 간신히 가족들 입에 풀칠을 하고 지낸다는 것이다. 그러니까 어머니는 제대로 가서 치료를 받아 보지도 못한 채 집에 누워서 앓고 있다는 것이다. 그래서 병세는 나날이 더 심해만 갔는데 아까 점심때쯤 해서 어머니는 소년을 불러 놓고 숨이 자꾸 가빠 오는 걸 보니 죽을 것 같다고 하며 얼른 가서 아버지를 찾아오라고 하였다는 것이다. 만기가 차근차근 캐어묻는 말에 대충 이상과 같은 내용의 대답을 하고 난 소년은 별안간 쿨쩍거리고 울기 시작했다. 만기는 우선 소년을 달래 놓고,

"그래, 너 이 병원은 어떻게 알았니?"

"접때 아버지하구 돈 꾸러 왔댔어요."

"돈 꾸러? 여길?"

"네, 아버지가 엄마하구 무슨 얘기 하다가 울었어요. 그리구 나 데리구 여기까지 왔댔어요."

"그래서 돈은 꾸어 갔니?"

"아니오. 나보구 길거리에 서서 기다리라구 해서 한참이나 이 앞에서 기다리구 있었는데 아버지가 나와서 그냥 돌아가라구 했어요. 그러면서 저녁에 돈을 마련해 가지구 돌아갈 테니 집에 가서 엄마보구 조금만 더 참구 기다리라구 했어요."

만기는 지그시 눈을 감았다. 마음이 복잡하거나 괴로울 때 하는 버릇이었다. 옷이라곤 언제나 탈색한 사지 군복 바지에 퇴색한 해군 작업복 상의만을 걸치고 다니는 초라한 익준의 몰골이 감은 눈앞을 스치고 지나갔다. 그러면서도 익준은 병원에 와서 돈을 꾸려고 한 번도 손을 내밀어 본 일이 없었다. 뿐만 아니라 그는 단 한 마디도 딱한 집안 사정을 입 밖에 비치어 본 일조차 없었다. 만기도 그의 가정 형편이 그렇게까

지 말이 아닌 줄은 모르고 있었다.

"너 몇 학년이니?"

"학교 그만뒀어요."

"그럼 놀고 있어?"

"신문 장사해요."

만기는 그런 말까지 캐어물은 것을 도리어 후회했다. 그는 소년을 위로해서 돌려보내고 나서도 마음이 무거웠다. 남의 일 같지 않았다. 남의 시설을 빌려서나마 개업을 하고 있다고는 하지만 만기 자신 생활에도 극도로 시달리고 있었기 때문이다. 자그마치 열 식구에 버는 사람이라곤 만기뿐이니 당할 도리가 없었다. 대가족이 먹고 입는 일만도 숨이 가쁠 지경인데, 동생들의 학비까지 당해 내야만 했다. 대학이 하나, 고등학교가 둘, 거기에 초등학교 다니는 자기 장남까지 합친다면 그야말로 무서운 지출이었다. 피를 짜내듯 해서 거의 기적적으로 감당해 오고 있었다. 그 밖에 늙은 장모와 어린 처남·처제들만이 아득바득하고 있는 처가에도 다달이 쌀말값이라도 보태 주지 않아서는 안 되었다. 하기는 그런대로 개업을 하고 있는 만기에게는 다소라도 수입이 있었다. 그러나 전쟁 이래 직업을 갖지 못하고 있는 익준네 생활이 그만큼이라도 지탱되어 왔다는 것은 한편 수수께끼 같은 일이기도 했다. 익준은 취직을 단념하고 있었다. 왜정 때 겨우 중학을 나왔을 뿐 특수한 기술도 백도 없는데다가 나이마저 삼십 고개를 반이나 넘어섰고 보니, 취직이란 말 그대로 별따기였다. 게다가 남달리 정의감과 결벽성이 세기 때문에 사소한 부정이나 불의를 보고도 참지 못하는 그는 설사 어떤 직장이 얻어 걸렸다 해도 오래 붙어 있지 못했을 것이다. 전쟁 전에도 직장다운 직장을 오래 가져 보지 못했던 것은 오로지 그러한 그의 성격 탓이었다. 그렇다고 장사를 하자니 밑천도 없었거니와 이 또한 고지식한 그에게 될 일이 아니었다. 언젠가는 생각다 못해 노동판에도 섞여 보았다. 그 역시 해 보지 않던 일이라 한몫을 감당할 수도 없었거니와 사무실에서 인부들의 임금을 속여먹는 줄 알게 되자, 대뜸 쫓아가서 시비 끝에 주먹다짐까지 벌어졌던 것이다. 그러게 최근 일 년 동안은 양심적이고 동지적인 자본주를 얻어, 먹고 살 수도 있고 동시에 국가 사회에도 이익될 수 있는 사업을 스스로 일으켜야겠다고 하며 그는 날마다 거리를 휘젓고 다녔다. 그가 말하는 국가 사회에도 보익하며, 먹고 살 수도 있는사업이란 한국에 와 있는 외국인 상대의 일용 잡화 및 식료품 상회였다. 그의 친지 가운데 외국인 선교사들과 교섭이 잦은 기독교인이 있었다. 그 친지 말에 의하면, 현재 한국에 와 있는 외국 민간인들의 대부분이 식료품이나 일용품 같은 것을 거의 도쿄나 홍콩에서 주문해다 쓰고 있다는 것이다. 그것은 외국인 자신들에게 있어서도 시간적으로, 경제적으로 상당한 손실일 뿐 아니라, 불편하기 이를 데 없는 일이지만 한국 상인의 물품은 그 가격이나 질에 있어서 도무지 신용할 수가 없으니 부득이한 일이라는 것이다. 그러기 때문에 외국인을 상대로 식료품과 일용품을 공급해 줄 만한 양심적인 한국 상점의 출현을 누구보다도 외국인 자신들이 절실히 요망하고 있다는 것이다. 친구에게서 그 말을 들은 익준은 단박 얼굴이 벌개 가지고 병원으로 달려와서 이게 얼마나 수치스럽고 손실을 자초하는 일이냐고 탄식했던 것이다. 그런 지 며칠 뒤부터 익준은 자기 자신이 양심적인 출자자를 구해서 외국인 상대의 점포를 자기가 직접 경영해 보겠다고 서둘며 싸돌아다니었다. 최고 일할 이득을 목표로 철두철미 신용과 친절 본위로 외국인을 상대하면 자연 잃어진 한국인의 체면도 회복할 수 있고 그들의 신용과 성원을 얻어 사업도 번창해질 게 아니냐는 것이다. 그 뒤 익준은 양심적인 출자자를 찾아내기 위해 맹렬한 열의로 거리를 헤매기 시작했던 것이다. 그러나 그가 찾고 있는 돈 있고 양심적인 동지는 이제까지 나타나지 않고 있는 것이다. 점심 요기조차 못하고, 나서지 않는 출자자를 찾아 거리를 휘젓고 다니다가 저녁때 맥없이 돌아오는 익준은 보기에 딱하도록 지쳐 있었다. 쓰러지듯 대합실 소파에 털썩 주저앉아 버린 그는 비참한 표정으로 세상을 개탄하는 것이다. 친구의 소개로 돈푼이나 있다는 사람을 만나 얘기를 비치어 보았더니 지금 세상에 일할 장사를 위해 돈 내놓을 시러베아들이 어디 있겠느냐고 영 상대도 않더라는 것이다. 그러면서 한다는 소리가 양키 상대라면 한두 번에 팔자를 고칠 구멍을 뚫어야지 제정신 가지고 금리도 안 되는 미친 짓을 누가 하겠느냐고 핀잔을 주더라는 것이다. 그러니 세상 사람이 모두 도둑놈이 아니냐고 외쳤다. 사리사욕을 위해서는 남을 속이거나 망치는 일쯤 당연하다고 생각할 판이니 도대체 이놈의 세상이 끝장에 가서는 어떻게 되겠느냐고 익준은 비분강개를 금하지 못하는 것이었다. 그런 때마다 그는 행정 당국의 무능을 통매하면서 'DDT 정책'이라는 말을 내세우곤 했다. 디디티를 살포해서 벼룩을 박멸하듯이 국내의 해충적 존재에 대해서는 강력한 말살 정책을 써야 한다는 것이다. 이를테면 소매치기나 날치기에서부터 간상 모리배도 총살, 협잡 사기한도 총살, 뇌물을 먹고 부정을 묵인해 주는 관리도 총살, 밀수범도 총살, 군용 물자를 훔쳐 내다 팔아먹는 자도 총살, 국고금을 횡령해 먹는 공무원도 총살, 아무튼 이런 식으로 부정 불법을 자각하면서도 사리사욕에 눈이 멀어서 국가 사회에 해독을 끼치는 행위를 자행하는 대부분의 형사범은 모조리 총살해 버려야 한다는 것이다. 그러지 않고는 양민이 안심하고 살 수 없을 뿐 아니라 나라의 앞날이 위태롭기 짝이 없다는 것이다. 흥분한 어조로 이러한 지론을 내세울 때의 익준의 눈에는 살기에 가까운 노기가 번득거리었다. 그런 때 만일 누가 옆에서 그의 지론을 반박할 말이면 당장 눈앞에 총살형에 해당하는 범

법자라도 발견한 듯이 격분하는 것이다. 언젠가 어느 경솔한 외국 기자가 한국을 가리켜 도둑의 나라라고 해서 물의를 일으켰을 때의 일이다. 대개의 신문이나 명사들이 그 기사를 쓴 외국 기자를 비난하고 한국의 사회 실정을 변명하려는 논조로만 치우쳐 있었다. 그 당시의 익준은 거의 매일같이 흥분해 있었다. 그 외국 기자야말로 한국의 현실을 날카롭게 투시하고 가차없는 비평을 가해 왔다는 것이다. 잠깐 다녀간 외국 기자의 눈에도 도둑의 나라로 비칠 만큼 부패한 우리 나라의 현실이 슬프고 부끄러울망정 바른 소리를 한 외국 기자에게는 잘못이 없다는 것이다. 우리는 덮어놓고 외국 기자를 비난 공박하기 전에 먼저 우리 자신을 냉정히 반성하고 다시는 외국인으로부터 그처럼 치욕적인 말을 듣지 않도록 전 국민이 깊은 각성과 새로운 노력을 가져야 할 일이 아니냐. 만일 도둑놈 소리가 듣기 싫거든 도둑질을 하지 않으면 될 게 아니냐는 것이다. 그래서 만기는 몇 마디 반대 의견을 말해 본 일이 있었다. 어쨌든 그 외국 기자가 한국에 대해서 호감을 갖고 보지 않았다는 것만은 사실인 이상, 국교상의 우호 관계로 보아서도 경솔한 태도였다는 비난을 면할 수는 없었다는 점과 어느 나라치고 도둑이 없는 나라란 있을 수 없을 터인데, 정도가 좀 심하다고 해서 왜 그렇게 되지 않을 수 없었는가 하는 객관적인 원인과 이유를 밝히는 일이 없이 일언지하에 대뜸 도둑의 나라라고 단정해 버린다는 것은 너무나 피상적 관찰에만 치우친 편견이 아닐 수 없다는 점을 들어서 만기는 은근히 익준의 소견을 반박해 보았던 것이다. 그랬더니 익준은 대번에 안색이 달라져 가지고 만기에게 대들듯 덤볐다.

"아니, 도둑놈에게 도대체 변명이 무슨 변명야? 그래 자넨 아직두 한국놈이 도둑놈이 아니라구 우길 수 있단 말야? 이 지구상에 우리 나라처럼 도둑이 들끓구 판을 치는 나라가 또 있단 말인가? 이거 봐,

만기. 덮어놓구 자기 나라를 두둔하구 추켜올리는 게 애국자, 애국심은 아닌 거야. 말을 좀 똑바로 하란 말야. 그래 아무리 조심을 해두 전차나 버스를 한 번 탔다 내리기만 하면 돈지갑이나 시계, 만년필 따위가 감쪽같이 사라져 버리는데 이래두 한국이 도둑의 나라가 아니란 말인가? 백주에 대로상을 걸어가노라면 바람도 안 부는데 모자가 행방불명이 되기 일쑤구, 또 어떤 놈이 불쑥 나타나 골목으로 끌구 들어가서는 무조건 두들겨 팬 다음 양복을 벗겨 가지구 달아나는 판이니, 아 이래두 한국은 도둑의 나라가 아니구 알량한 동방예의지국이군그래. 시장바닥은 물론 심지어는 일국의 수도 한복판에 있는 소위 일류 백화점이란 델 들어가 물건을 사두 가격을 속이구 품질을 속이구 중량을 속여 먹기가 여반장이니 아, 이래두 한국은 의젓한 신사국이란 말인가. 아무리 아전인수라두 분수가 있지 열 놈이면 아홉 놈까지 도둑놈이라 눈 뜬 채 코 베어 먹힐 세상인데, 그래두 자넨 한국이 도둑의 나라가 아니라구 뻔뻔스레 잡아뗄 셈인가. 그야 물론 핑계 없는 무덤이 없다구 자네 말대루 도둑질하는 놈에게두 이유야 있을 테지. 이를테면 사흘 굶어 도둑질 않는 사람이 있느냐는 식으로 말일세. 그렇지만 남은 사흘은 고사하구 닷새 엿새를 굶어두 도둑질 않구 배기는데 한국놈은 어째서 단 한 끼만 굶어두 서슴지 않구 도둑질을 하느냐 말야. 아니, 한 끼를 굶기는커녕 하루에 네 끼, 다섯 끼 배지가 터지도록 처먹구두 한국놈은 왜 도둑질을 하느냐 말야. 이러니 죽일 놈들 아냐. 복통을 할 노릇이 아니냐 말야!"

익준은 흡사 미친 사람 모양 입에 거품을 물고 핏발 선 눈알을 뒹굴리었던 것이다.

어느 날 퇴근 시간이 임박해서다. 미스 홍이 조용히 의논할 말이 있노라고 했다. 그 동안 석 달치나 밀린 급료 얘기가 아닌가 싶어 만기는 새삼스레 가책을 느꼈다. 홍인숙은 만기에게 있어서는 소중한 사업의 보조자였다. 치의전을 나온 이래 십여 년간의 의사 생활을 통해서 수많은 간호사를 부려 보았지만 인숙이만큼 만족하게 의사를 돕는 솜씨도 드물었다. 가려운 데 손 가듯이 빈 구석 없이 만기를 받들어 주었다. 눈치가 빠르고 재질도 풍부해서 간호사로서의 지식이나 기술뿐 아니라 웬만한 의사 못지않게 능숙한 수완을 발휘해 주었다. 중태가 아닌 진찰이나 치료 정도는 만기가 없어도 충분히 대진의 역할을 감당할 수 있었다. 그만큼 인숙은 자기 직무 이상의 일에까지도 열성을 기울여 묵묵히 만기를 도왔다. 한말로 말해서 인숙은 이처럼 시설이 빈약한 변두리의 개인 병원에는 분에 넘칠 만큼 더할 나위 없이 유능하고 성실한 간호사였다. 인격적인 면에서 볼 때에도 얌전하고 귀엽게 생긴 얼굴이어서 환자에게 호감을 주었다. 그러한 인숙에게 스스로 만족할 정도로 충분한 물질적 대우를 해 주지 못하는 것이 만기에게는 늘 미안한 일이었다. 그러나 인숙은 3년 이상이나 같이 있는 동안 단 한 번도 불만이나 불평을 말해 본 일이 없었다. 도리어 인숙은 자기 집의 생활이 자기의 수입을 필요로 할 만큼 궁색한 형편이 아니라면서 미안해하는 만기를 위로하듯 했다. 그만큼 이해하고 봉사해 주는 인숙에게 최근 3개월분의 급료를 지불하지 못하고 있었던 것이다. 그래서 가뜩이나 미안하던 판이라 만기는 저녁 식사라도 같이 하면서 얘기할까 했으나 인숙은 굳이 마다고 했다.

"정 그러시문 차나 한 잔 사 주세요."

병원을 잠그고 나서 그들은 밖으로 나갔다. 물론 대합실 소파에 지키고 있던 봉우도 따라나섰다. 그들은 가까운 다방으로 갔다. 역시 봉우도 잠자코 따라 들어왔다. 인숙은 퍽 난처한 기색으로 걸음을 멈추고 만기

를 쳐다보았다. 만기는 이내 눈치를 채고 봉우를 돌아보며,

"미안허네, 봉우. 병원 일루 둘이서 조용히 의논할 일이 있어 그러는
데……."

사양해 달라는 뜻을 표했더니,

"그럼 문 밖에서 기다릴까?"

봉우는 도리어 어린애같이 솔직한 태도로 반문해 왔다.

만기도 딱해서,

"무슨 딴 볼일이라두 없는가?"

그랬지만,

"딴 볼일은 없어. 그럼 문 밖에서 기다리지!"

돌아서 나가려는 것을,

"그래서야 되겠나. 그러면 저쪽 빈 자리에서 기다려 주게나."

도리어 만기 쪽이 민망하기 이를 데 없었다. 봉우와는 멀찍이 떨어진
위치에 자리잡고 앉아서 만기는 차를 시켜 놓고 인숙의 이야기를 들었
다. 급료 독촉이 아니었다. 거북한 듯이 인숙이가 꺼내 놓는 이야기는
봉우에 관한 문제였다. 봉우는 거의 하루도 거르는 날이 없이 인숙을 따
라다닌다는 것이다. 퇴근하고 돌아가는 인숙을 같은 전차를 타고 집 앞
까지 따라와서는 인숙이가 자기 집 대문 안으로 사라지는 걸 보고 나서
야 봉우는 처량한 얼굴로 발길을 돌이킨다는 것이다. 그런 말은 전에도
잠깐 귀에 담은 일이 있었지만 어쩌다가 봉우 자신 그 방면에 볼일이 있
으니까 그러려니 생각하고 있었다. 그런데 얘길 자세히 듣고 보니 딴 용
건이 있어서가 아니라 인숙을 따라다니는 행동 그 자체가 엄연한 목적이
라는 것이다. 날마다 병원 대합실에 나와서 낮잠을 자듯이 저녁때마다
봉우가 자진해서 인숙을 집에까지 바래다 주는 것은 하나의 일과로 되어
있다는 것이다. 인숙이 자신 처음 얼마 동안은 봉우의 엉뚱한 행동에 그

리 신경을 쓰지 않았지만, 요즘 와서는 미칠 것만 같다는 것이다. 무엇보다도 남의 이목이 두렵다는 것이다. 그렇지 않아도 벌써 동네에서는 별별 소문이 다 떠돌고 집안 어른들에게도 잔소리를 듣게 되었다는 것이다. 인숙은 더러 그러한 봉우를 피하기 위해서 곧장 집으로 돌아가지 않고 일부러 딴 방향으로 돌아가 보기도 했지만 봉우는 역시 어린애처럼 떨어지지 않고 줄줄 따라다닌다는 것이다. 그렇다고 지긋지긋 귀찮게 실없는 수작을 거는 것은 아니다. 고작 꿈을 꾸듯 황홀한 눈을 인숙의 전신에 몰래 퍼부을 뿐이다. 처음엔 그러한 봉우가 그저 우습기만 했다. 그 뒤에는 징그러웠다. 요즘 와서는 무서워졌다는 것이다.

"저를 바라볼 때의 천 선생님의 그 이상하게 빛나는 눈이 꼭 저를 어떻게 할 것만 같아요. 소름이 끼쳐요!"

그래서 인숙은 밖에도 잘 못 나온다는 것이다. 꿈에서까지 그런 봉우의 눈과 마주쳤다가 소스라쳐 깬다는 것이다. 병원이 휴업을 하는 일요일 아침이면 봉우는 직접 인숙이네 집 대문 앞에 와서 우두커니 지키고 섰다는 것이다. 하도 기가 차서 인숙이가 홧김에 쫓아나가,

"천 선생님, 왜 또 여기 와 서 계셔요?"

따지듯 하면,

"오늘은 병원이 노는 걸 어떡해요?"

그러니까 이리로밖에 찾아올 데가 없지 않느냐는 듯이 무엇을 호소하듯 한 눈으로 인숙을 내려다본다는 것이다.

"이웃이 챙피해요. 집 식구들두 시끄럽구요. 얼른 돌아가 주세요, 네!"

사정하듯 하면 봉우는 갑자기 풀이 죽어서 천천히 골목을 걸어 나간다는 것이다. 그렇지만, 얼마 있다 밖을 또 내다보면 봉우는 어느 새 대문 앞에 도로 와서 척 지키고 서 있다는 것이다. 이래서 인숙은 자나깨

나 신경이 씌어 흡사 미칠 것만 같다는 것이다.

"어떡허면 좋겠어요, 선생님."

말을 마치고 만기를 쳐다보는 인숙의 귀여운 얼굴이 아닌게아니라 이 제 보니 핼끔하게 좀 파리해 있었다.

"천 선생은 가정적으로나 사회적으로나 퍽 불행한 사람이오."

만기는 호젓한 말씨로 그렇게 대신 변명하듯 했다.

"저두 대강은 짐작하구 있어요."

"또한 본래 바탕이 너무나 선량한 사람이오. 중학 때부터 남에게 이 용이나 당하구 피해나 입었지, 전연 남을 해칠 줄을 모르는 사람이었 소. 그러니까 미스 홍두 천 선생에게 악의나 증오감을 품구 대하진 말아요."

"저두 알아요. 그러니까 여태 참구 지내다 못해 선생님께 의논하는 게 아니에요?"

"천 선생은 분명히 미스 홍을 사랑하구 있나 보오. 그러나 사랑을 노 골적으로 고백할 수 있으리만큼 천 선생은 당돌하지 못한 사람이오. 그만치 인간의 자격에 자신을 잃구 있는 분이지. 그러면서두 미스 홍 을 떠나서는 못 살겠는 모양이오. 잠시라두 미스 홍을 안 보구는 못 배기겠는 모양이란 말이오. 그렇다구 일방적인 천 선생의 애정에 대 해서 미스 홍이 책임을 질 필요는 없을 테지. 다만 질적으로나 양적 으로나 피차 더 큰 괴로움을 가져올 방향으로 이 문제를 해결해서는 안 된다는 것뿐이오. 물론 미스 홍의 불쾌하구 난처한 처지는 알 수 있소만 조금 더 참고 지내요. 적당한 기회에 내가 천 선생하구 조용 히 얘길 해 볼 테니. 그렇다구 이런 문제를 제삼자인 내가 아무 때나 불쑥 들구 나설 수두 없으니까 좀 기다리란 말요. 그 동안에 자연스 럽게 얘기할 기회를 만들어 볼 테니까."

인숙은 붉어진 얼굴을 숙이고 가만히 듣고만 있었다. 얘기를 마치고 나서 만기는 인숙이더러 먼저 돌아가라고 했다. 인숙이가 문밖으로 사라진 뒤에야 만기도 일어나 봉우 자리로 가려니까 봉우는 그제야 눈이 휘둥그레서 벌떡 일어서더니 만기를 밀치듯이 하고 황황히 밖으로 쫓아나가 버렸다. 만기도 할 수 없이 얼른 셈을 치르고 따라나가 보았다. 전차 정류장 쪽을 향해 저만큼 걸어가고 있는 인숙의 뒤를 봉우는 부리나케 쫓아가고 있었다. 그 광경이 흡사 엄마를 놓칠세라 질겁을 해서 발버둥치며 쫓아가는 어린애 모양과 비슷하였다. 그 꼴을 묵묵히 바라보고 서 있던 만기는 저도 모르게 가만한 한숨을 토했다. 계산이 닿지 않는 애정에 저렇게 열중해야 하는 봉우가——그리고 저러지 않고는 못배기는 인간이 딱했기 때문이다. 동시에 만기 자신을 중심으로 자꾸만 얼크러지는 애정과 애욕의 미묘한 혼란이 숨가쁜 까닭이기도 했다. 물론 봉우 처의 저돌적인 육박도 골치 아픈 일이기는 했지만, 그보다도 오히려 처제인 은주가 만기의 마음을 더 어지럽게 하였다.

은주는 어머니를 모시고 밑으로 어린 두 동생을 거느리고 어느 관청에 사무원으로 나가고 있었다. 6·25전쟁 이후 3,4년간은 전적으로 만기에게 얹혀 지냈다. 그러니까 만기는 처가네 식구까지 열네 명이나 되는 대가족을 거느리고 있었던 것이다. 친동생들을 학교에 보내면서 처제들이라고 모르는 체할 수는 없었다. 은주와 그 두 동생까지 모두 여섯 명이나 중학교, 고등학교, 대학교에 집어넣었다. 그들의 학비와 열네 식구의 생활비를 위해서 만기는 문자 그대로 고혈을 짜 바쳤다. 물론 동생들은 고학을 한답시고 각자가 능력껏 활동들을 해서 잡비 정도는 저희들이 벌어 썼지만, 그렇다고 만기의 짐이 덜릴 수는 없었다. 만기는 자연 나날이 쪼들리지 않을 수 없었다. 얼마 안 되는 병원 수입만으로는 어림도 없었다. 참다 참다 급하게 되면 어쩔 수 없이 여기저기서 돈을 둘러다 썼다. 부모가 남겨 준 유일한 재산이었던 집 한 채마저 팔아 버리고 유축에 전셋집을 얻어 갔다. 이러한 곤경 속에서도 만기는 가족들 앞에서 결코 짜증을 내거나 불평을 말하는 일이 없었다. 얼굴 한 번 찡그려 본 일이 없었다. 아무와도 나눌 수 없는 고민이란 영혼까지도 고갈하게 만드는 법이다. 만기는 자기에게 지워진 고통을 혼자서만 이를 사려물고 이겨 나갔다. 하도 고민이 심할 때는 입맛을 잃고 잠도 제대로 이루지 못했다. 그러한 만기의 심중을 아내만은 알았다. 밤새껏 엎치락뒤치락하며 남편이 잠을 못 드는 밤이면 아내는 말없이 만기를 끌어안고 소리를 죽여 가며 흐느껴 울었다. 그런 때 만기는 도리어 아내의 등을 어루만지며 위로해 주는 것이었다.

"장 크리스토프라는 롤랑의 소설 가운데 이런 말이 있다우. '사람이란 행복하기 위해서 살고 있는 것은 아니다. 자기의 정해진 길을 가기 위해서 살고 있는 것이다.' 여보, 나를 위해서 진심으로 울어 주는 아내가 있는 이상 나는 결코 꺾이지 않을 테요. 그러니까 날 위하여 과히 걱정 말구 어서 울음을 그쳐요. 자 어서, 이게 뭐야 언내처럼."

만기가 그러고 달래듯이 눈물을 닦아 주려면 아내는 참아 오던 울음소리를 탁 터뜨리고 발버둥치며, 더욱 섧게 우는 것이다. 아내는 세상의 어떤 아내보다도 만기를 깊이 이해하고 존경하고 사랑하고 동정하고 있었다. 그러나 그 밖에도 또 한 여인이 만기 아내에 못지않게 만기를 존경하고 사랑하고 동정하며 한지붕 밑에 살고 있었다. 그는 물론 처제인 은주였다. 은주는 소녀다운 깊은 감동으로 형부를 우러러보고 사모하였다. 귀공자다운 풍모, 알맞은 체격, 넓고 깊은 교양, 굳은 의지와 확고한 신념, 강한 의리감과 풍부한 인정미, 어떤 점으로 보나 형부 같은 남성은 세상에 다시 없을 것 같았다. 그러한 형부가 보잘것없는 가족들을 위해서 노예처럼 희생당하고 있다. 형부를 위해서는 이따위 가족들이 다 없어져도 좋지 않을까. 아니, 형부를 둘러싸고 있는 너절한 인간들이 온통 사라져 버려도 좋지 않을까. 불공평한 현실 속에서 가족을 위해 죄인처럼 고민하는 형부를 생각할 때 은주는 속으로 혼자 울며 그렇게 중얼거려 보기도 했다. 은주는 그처럼 형부를 위해 마음이 아팠다. 자연스럽게 형부를 사랑했다. 사랑하지 않고는 견딜 수 없는 심경이었다. 은주는 형부를 위해서라면, 사랑을 위해서라면 언제든지 서슴지 않고 웃으며 죽을 수 있을 것 같았다. 은주는 오랫동안 여러 가지로 혼자 궁리한 끝에 대학교 일학년을 마치는 길로 자진해서 학업을 중단하고 취직해 버렸다. 그리고는 어머니와 동생을 데리고 셋방을 얻어 나가 자립생활을 시작했다. 사랑하는 형부의 짐을 조금이라도 덜어 주고 싶어서였다. 이사해 나가는 날 마지막으로 식사를 같이 하고 나서 은주는 가족들이 있는 앞에서 언니에게 대담하게 이런 말을 했다.

"언니, 나 형부를 사랑해두 좋아?"

다들 웃었다. 물론 농담인 줄 알았기 때문이다. 그러나 만기와 그의 아내만은 겉으로는 웃었지만 속으로는 웃지 못했다. 은주의 말이 결코 농담에 그치는 것이 아님을 짐작할 수 있었던 탓이다. 작년부터는 가족들 사이에 자주 은주의 결혼 문제가 화제에 올랐다. 장모가 들를 적마다 사위와 딸 앞에서 은주의 나이 걱정을 해서다. 하기는 아버지 없는 은주에게 언니나 형부 노릇뿐 아니라 아버지 노릇까지도 대신 해야 할 그들의 처지로서는 은주의 결혼 문제에 무심할 수는 없었다. 만기 부처는 기회 있는 대로 은주의 배필을 물색해 보았다. 그러다가 적당한 상대가 나서면 사진을 구해 두었다가 은주가 들를 때 내보이곤 했다. 그러나 은주는 그 때마다 사진 같은 건 거들떠보지도 않고,

"미안합니다. 누가 시집간댔어요?"

그러고 나서는 장난꾸러기같이 어깨를 으쓱하며 쿡쿡 웃었다.

"애두, 그럼 평생 처녀루 늙을래?"

언니가 가볍게 눈을 흘기면,

"형부만한 신랑감을 골라 주신다면……."

또 아까와 같이 어깨를 으쓱하며 웃었다.

"나보다 몇 갑곱 나은 청년이야. 우선 사진이나 구경해."

만기가 남자 사진을 눈앞에 들이대도,

"사랑하는 사람을 두고 시집가란 말씀예요?"

정색하고 은주는 사진을 받아 던졌다.

"그렇지만 딱허지 않니? 형부를 이제 와서 둘이 섬길 수두 없구……
그럼 차라리 내가 형부를 양보할까!"

만기 처가 농담 아닌 농담을 건네고 미묘하게 웃었다.

"언니, 건 안 될 말씀. 난 언니두 사랑하는걸요!"

그리고는 살며시 다가앉으며, 서양 사람이 그러듯 언니 볼에 가볍게
입을 맞추었다.

"여보, 세상에 나 같은 행운아가 어딨겠소? 선녀처럼 예쁘구 어진 당
신과 비너스같이 황홀한 우리 은주 아가씨의 사랑을 독차지하게 됐으
니 말이오!"

은주의 태도를 어디까지나 장난으로 구슬려 버리려는 만기의 의도를
은주는 묵살해 버리듯,

"언니, 나 꼭 한 번만 형부하구 키스해두 괜찮우?"

어리광 피우듯 해서,

"여보, 이 애 소원을 풀어 주시구려!"

언니가 어색한 웃음을 지으며 만기를 쳐다보았더니 은주는,

"거짓말, 언니 거짓말!"

언니를 나무라듯 몸부림치고 두 손으로 얼굴을 가리고 언니 무릎 위에 푹 엎더져 버리고 말았다. 얼마 뒤에 고개를 드는 은주의 두 눈이 의외에도 젖어 있었다. 신뢰에 찬 미소로 시선을 교환하는 만기 부처의 얼굴에는 똑같이 복잡하고 난처한 기색이 떠오르고 있었다. 그러면서도 다행한 것은 만기와 단둘이 만났을 때는 은주는 추호도 연정을 표시하는 일이 없었다. 어디까지나 처제의 위치에서 형부를 대하는 담담한 태도였다. 은주가 만기에 대한 걷잡을 수 없는 사랑을 언동으로 표시하는 것은 반드시 언니가 동석한 자리에서만이었다. 그만큼 은주는 깨끗한 아이였다. 만기 처 역시 그랬다. 형부에 대한 은주의 사랑을 시인하지 않을 수 없으면서도 남편과 동생의 사이를 의심하지는 않았다. 그만큼 남편과 동생을 믿고 있는 것이다. 이렇듯 알뜰한 아내와 은주 사이에 끼여서 만기는 참말 난처하지 않을 수 없었다. 주위에서는 결혼하기를 아무리 달래고 권해도 은주는 영 듣지 않았다. 한평생 만기만을 생각하고 사랑하며 깨끗이 혼자 늙겠다는 것이다. 그것이 일시적인 단순한 흥분에서가 아니라 필사적인 각오로 은주 스스로가 대하는 자기 인생의 엄숙한 선언이었다. 그러니만큼 주위 사람들도 다 함께 괴로웠고 당자인 만기는 더할 수밖에 없었다. 거기에 봉우 처마저 노골적인 추태로써 만기를 위협해 왔고 봉우와 미스 홍의 어쩔 수 없는 문제, 외면해 버릴 수 없는 익준의 암담한 가정 내막, 나날이 더 심해 가는 경제적인 고통, 이런 복잡한 관계들이 뒤얽히어 만기의 마음속을 더욱 어둡고 무겁게만 해 주었다. 그러나 만기는 역시 외면의 잔잔함만은 잃지 않았다. 한결같이 부드럽고 품위 있는 미소로써 누구에게나 친절히 대하기를 잊지 않는 것이다.

삼십이 좀 넘어 보이는 낯선 남자가 봉우 처의 편지를 가지고 병원을

찾아왔다. 만기는 남자에게 의자를 권하고 편지를 펴 보았다. 비교적 달필로 남자 글씨처럼 시원스레 내리갈긴 편지의 내용은 이러했다.

일전에는 실례했나 봐요. 저를 천한 계집이라고 아마 웃었을 것입니다. 그건 아무래도 좋아요. 지극히 인격이 고상하신 도학자님의 옹졸한 취미를 저는 구태여 방해하고 싶지는 않으니까요. 한편 저 같은 계집에게도 선생님같이 점잖은 분을 비웃을 권리나 자격이 어쩌면 아주 없지도 않을 거예요. 삶을 대담하게 엔조이할 줄 아는 현대인 가운데 먼지 낀 샘플처럼 거의 폐품에 가까운 도금한 인간이 자기 만족에 도취하고 있는 우스꽝스러운 꼴을 아시겠습니까? 선생님 자신이 바로 그러한 인간의 표본이야요. 선생님에게 또 비웃음을 받을 이따위 수작은 작작하고 그러면 용건을 말씀드리겠습니다.

다름 아니라 그 날도 말씀드린 바와 같이 병원 시설을 작자가 나섰을 때 팔아 치울 생각입니다. 이 편지를 갖고 간 분에게 기구 일습을 잘 구경시켜 드리기 바랍니다. 매매 계약은 대개 오늘 안으로 성립될 것이오며, 계약 성립 즉시로 통지해 드리겠사오니 그 때는 일주일 이내에 병원과 시설 일체를 내어 주시기 바랍니다.

저는 선생님이 원하신다면 새로이 현대적 시설을 갖추어 드리고 싶었고, 현재도 그러한 제 심정에는 변함이 없습니다. 그러나 솔직히 제 호의를 침 뱉어 버리는 선생님의 인격 앞에 저는 하릴없이 물러서는 수밖에 없나 봅니다.

그러한 본문 끝에 '추백'이라고 하고 '만일 제게 용건이 계시면 다음 번호로 언제든지 전화를 걸어 주시기 바랍니다.'에 이어서 전화번호가 잔글씨로 적혀 있었다. 편지를 읽고 난 만기는 언제나 다름없이 침착한 태도로 알맹이를 도로 집어서 봉투 안에 집어넣었다. 그의 손끝이 가늘게 떨리었다. 인숙이만이 재빨리 그것을 눈치챌 수 있었다. 만기는 편지를 서랍 속에 간직하고 나서 그 편지를 갖고 온 남자에게 친절한 태도로 시설을 보여 주었다. 남자는 의료 기구상을 하고 있다고 하면서도 기계에 대한 내용을 잘 모르는 것 같았다. 그 남자가 돌아간 뒤 만기는 자기 자리에 앉아서 담배를 피워물었다. 몹시 피로해 보였다. 얼굴색도 알아보게 창백해져 있었다.

인숙이가 조심히 다가와서,

"이제 그 분, 뭐 하러 왔어요?"

걱정스레 물었다.

"시설을 보러 왔소."

"건 왜요?"

"어찌 되면 이 병원의 시설이 그 사람에게 팔릴지두 모르겠소."

그 말에 놀란 것은 간호사뿐이 아니었다. 대합실 소파의 구석 자리에 앉아서 반은 자고 반은 깨어 있던 봉우가 별안간 눈을 휘둥그렇게 뜨고 만기를 건너다보았다.

"정말인가?"

"그런가 보이!"

"그럼 이 병원은 아주 문을 닫아 버린단 말인가?"

"그렇게 되기 쉬울 거야!"

봉우는 어처구니없다는 듯이 입을 벌린 채, 잠시 만기를 멍하니 바라보고 있었다.

"그럼 대체 자네나 미스 홍은 어떻게 되는 건가?"

"글쎄 아직 막연하지!"

봉우는 거의 절망적인 눈으로 만기와 인숙을 번갈아 보았다.

"천 선생님, 이 병원을 팔지 말구 이대루 두라구 사모님께 잘 좀 부탁을 하세요, 네!"

인숙은 심각한 표정으로 애원하듯 했다.

"내가? 내가 부탁헌다구 들어 줄까요?"

"선생님 사모님이신데 아무렴 선생님이 간곡히 부탁하면 안 들으실라구요."

"그럼, 뭐라구 하문 될까요?"

"어마, 그걸 제가 어떻게 알아요. 선생님이 잘 생각해서 말씀하셔야죠."

봉우는 더 대답을 못하고 고개를 숙여 버리고 말았다. 그에게는 아내를 움직이는 일은 하늘을 움직이는 일만큼 불가능한 일이었던 것이다. 그러나 아내를 움직이지 못한다면 그는 유일한 휴식처요, 보금자리인 이 대합실 소파를 빼앗겨 버리고 말 것이 아닌가! 그뿐만이 아니다. 마음의 빛이요 보람인 미스 홍을 놓쳐 버리고 말 것이 아닌가! 봉우는 그만 처참할 정도로 푹 기가 죽어 버리고 말았다.

몇 시간 뒤의 일이었다. 마침 환자가 있어서 치료해 보내고 만기가 자기 자리로 돌아와 환자 카드를 정리하려는데 후줄근한 소년이 대합실 문 앞에서 기웃거리며 안을 살피고 있었다. 전번에 왔던 익준의 아들이었다.

"너, 웬일이냐?"

만기는 직감적으로 어떤 불길한 예감에 쏠리며 물었다. 소년은 먼젓번처럼 가만히 문을 밀대고 대합실 안에 들어섰다. 소년의 얼굴에는 눈물 자국이 있었다. 소년은 병원 안을 한바퀴 돌아보고 나서 만기를 보았다.

"울아버지 안 오셨어요?"

"안 오셨다. 2, 3일 전부터 통 보이질 않는구나."

소년은 한 발에만 고무신을 신고 왜 그런지 한 짝은 벗어서 손에 들고 있었다.

"아버지 집에두 안 돌아오셔요."

"그래? 언제부터?"

만기는 이상해서 다그쳐 물었다.

"어저께두 그 전날두 안 돌아오셨어요."

"웬일일까?"

정말 알 수 없는 일이었다. 소년은 무슨 말을 할듯할듯 하다 말고 그대로 돌아서 나가려고 했다. 만기는 얼른 소년을 도로 붙들어 세운 다음,

"어머닌 좀 어떠시냐?"

묻고서, 그 대답이 무서웠다.

"죽었어요!"

소년은 수치스러운 일처럼 고개를 숙이고 거만한 소리로 대답했다. 예측했던 일이지만 만기는 가슴이 섬뜩했다. 언제 돌아가셨느냐니까,

"좀 아까예요!"

소년은 그러고 외면을 했다. 더 자세히 얘기를 듣고 보니 소년의 모친은 약 두 시간 전에 눈을 감은 모양이었다. 집에는 두 동생과 주인집 할머니만이 시체를 지키고 있다는 것이다. 외할머니도 아침에 생선 장사를 나간 채 아직 돌아오지 않았다고 한다. 만기는 소년의 한쪽 손을 꼭 쥐어 주며,

"대체 아버지는 어딜 가셨을까?"

다정하게 물었다.

"모르겠어요!"

소년은 슬그머니 손을 빼고 돌아서 나가려고 했다.

"가만 있거라. 나랑 같이 가자."

만기는 흰 가운을 벗고 양복저고리로 바꾸어 입었다. 그리고 오늘 들어온 돈을 죄다 긁어서 주머니에 넣었다.

"여보게 봉우, 자네두 같이 가지."

"뭐, 나두?"

봉우는 자다 깬 사람처럼 얼떨결에 놀라 묻고 좀 머뭇거리다가 엉거주춤 따라서 일어섰다. 간호사에게 뒷일을 부탁하고 만기가 앞장서 막 병원을 나서려는 참인데 이십 살쯤 되었을 어떤 청년이 들어섰다. 청년은 원장 선생님을 찾더니 만기에게 한 장의 쪽지를 전하였다. 봉우 처에게서 온 통지였다.

'병원 시설은 매매 계약이 성립되었습니다. 앞으로 일주일 이내에 병원을 비워 주시기 바랍니다.'

그리고 이번에도 언제든 용건이 있으면 서슴지 말고 연락을 해 달라고 하는 전화번호가 적혀 있었다. 만기는 말없이 쪽지를 편 대로 간호사에게 넘겨 주고 밖으로 나왔다.

익준의 아들은 밖에 나와서도 한쪽 고무신을 손에 든 채 그쪽은 맨발로 걷고 있었다. 남 보기에도 덜 좋으니 그러지 말고 한쪽 고무신마저 신으라고 권해도,

"발에 땀이 나서 그래요."

소년은 점직한 듯이 그러고 한쪽 손에 든 고무신을 뒤로 슬며시 감추었다. 그러나 만기는 그제야 눈치를 채고 소년이 들고 있는 고무신을 걸으면서 유심히 보았다. 그것은 닳아서 뒤꿈치가 터지고 코뚜리가 쭉 찢어져서 도무지 발에 걸리지 않게 되었다. 만기는 가슴이 찌르르했다. 전차를 타기 전에 그는 소년에게 고무신부터 한 켤레 사 주고 싶었다. 그러나 그 근처에는 고무신 가게가 눈에 뜨이지 않았고 때마침 전차가

눈앞에 와 멎어서 그대로 이내 차에 오르고 말았다.

소년의 가족이 들어 있는 집은 지붕을 기름종이로 덮은 토담집이었다. 소년의 어린 두 동생이 거지 아이 꼴을 하고 문턱에 기운 없이 걸터 앉아 있었다. 역한 냄새가 울컥 코를 찌르는 침침한 방 안에는 옆방에 산다는 주인 노파가 역시 이웃 아낙네와 마주 앉아 시체를 지키고 있었다. 방바닥에 착 달라붙은 듯한 시체 위에는 낡은 담요 조각이 덮여 있었다. 우선 집주인 노파에게 인사를 하고 나서 만기는 할 일을 생각했다. 주인이 없더라도 사망 진단서와 사망 신고 등의 절차는 밟아 두어야 했다. 요행 반장의 협력을 얻어서 그런 일들은 무난히 끝낼 수가 있었다. 아이들의 외할머니는 저녁때가 되어서야 비린내가 나는 광주리를 이고 돌아왔다. 딸이 죽은 것을 알고는 그리 슬퍼하지도 않았다. 그저 노파의 전신에는 보기에 딱하리만큼 심한 피로가 배어 있었다. 노파의 말에 의하면 익준은 2, 3일 전에 인천 방면의 어느 공사판을 찾아갔다는 것이다. 환자에게 주사 몇 대라도 놓아 주면 한이나 풀릴 것 같아서 벌이를 떠났다는 것이다. 부득이 만기가 주동이 되어서 장례식 일을 맡아보아 주는 수밖에 없었다. 첫째, 비용이 문제였다. 만기는 자기 호주머니를 톡톡 털어서 당장 사소한 비용을 썼다. 봉우는 그저 시무룩하니 앉아서 만기 눈치만 살피다가 어디를 나가면 그림자처럼 따라다닐 뿐이었다. 상가에서 밤을 새우고 나서 만기는 이튿날 아침 잠깐 병원에 들러보았다. 물론 봉우도 함께 와서 대합실 구석 자리에 앉아 있었다. 만기도 나른히 지쳐 있었다. 인숙이가 걱정스레 만기를 바라보며 무슨 말을 할 듯하다가 말았다. 만기는 한동안 막연히 생각에 잠겨 있다가 대합실 소파로 가서 봉우 옆에 바싹 다가앉았다.
    "여보게, 같이 가서 자네 부인을 좀 만나보구 올까?"

"아니, 건 또 무슨 소리야."

"당장 장례 비용이 있어야 할 게 아닌가. 그러니 자네두 같이 가서 조 언을 좀 해 줘야겠단 말이네."

만기는 봉우 처에게서 장례 비용을 좀 뜯어 볼 생각이었다. 아무리 간소히 치른다 해도 관은 사야 할 게고, 세 어린것에게 상복을 입히고 영구차도 불러야 하겠는데, 그 비용을 변통할 길이 달리는 전혀 없었기 때문이다. 밖에 나가 전화를 걸고 찾아가려고 만기는 그리 달가워하지 않는 봉우를 끌고 일어섰다. 그러자,

"선생님 잠깐만……."

무슨 각오를 지닌 듯한 표정으로 인숙이가 불러 세웠다.

"왜 그러우?"

인숙은 만기를 진찰실 구석으로 끌고 가서 나지막한 소리로,

"이 병원, 결정적으로 팔리게 되었나요?"

캐어묻듯 했다.

"그런 모양이오!"

인숙은 심각한 표정으로 고개를 숙였다. 잠시 말을 못하고 서 있었다. 밀린 급료 문제나 실직될 것을 걱정해서 그러는 줄로 만기는 알았다.

"미스 홍이 3년 이상이나 마치 자기 일처럼 성의껏 거들어 준 데 대 해서는 그 고마움을 평생 잊지 않겠소. 그런 만큼 헤어지게 될 때는 충분히 물질적 사례를 취하는 것이 도리겠지만, 미스 홍도 아다시피 현재의 내 경제적 사정으로는 그건 어렵겠으나 밀린 급료만은 어떡해 서든 책임지고 청산하도록 할 테니 그리 알아요. 그리구 미스 홍의 취직 문젠데, 나도 딴 병원을 극력 알아볼 테니까 미스 홍도 오늘부 터라두 아는 사람에게 미리 부탁해 두어요."

만기는 한편으로는 사과하듯, 한편으로는 위로하듯 했다. 그러자 불

시에 고개를 바짝 들고 정면으로 쳐다보는 인숙의 시선에 부딪친 만기는 가슴에 뭉클하는 충동을 받았다. 원망스러이 쳐다보는 인숙의 눈에는 눈물이 핑그르 돌고 있었기 때문이다.

"절 그렇게만 보셨어요!"

인숙은 외면하면서 손가락 끝으로 눈물을 뭉개고 나서,

"건 가혹한 오해세요!"

입술을 깨물었다.

"미스 홍, 내가 피로해 있었기 때문에 실언을 했나 보오. 너무 노골적인 말이어서 노엽거든 용서해요."

"선생님, 저보다두 실상 선생님이 더 큰일 아니에요? 그 숱한 식구의 생활비며…… 학비며 개업 중에두 늘 곤란을 받으셨는데 병원을 내놓게 되면 당장 어떡허세요!"

"고맙소. 그러나 스스로 애쓰는 자는 하늘이 돕는다지 않소. 우선 천 선생네 장례식이나 끝내고 나서 나도 백방으로 살 길을 찾아볼 테니 과히 걱정 말아요!"

인숙은 이상히 빛나는 눈으로 만기를 쳐다보다가,

"선생님, 새로 병원을 차리려면 최소한도 얼마나 자금이 필요해요?"

주저하며 물었다.

"아마, 팔십만 환은 가져야 불충분한 대로 개업할 수 있을 게요."

인숙은 잠깐 동안 입술을 깨물고 섰다가 불시에 고개를 들고 호소하는 듯한 눈으로 만기를 쳐다보며,

"선생님, 제게 오십만 환이 있어요. 그걸 선생님께 드리겠어요. 그리구 오빠에게 부탁해서 삼십만 환은 어디서 싼 이자루 빚내 오도록 하겠어요. 선생님 병원을 내세요!"

말을 마치자 인숙의 눈에서는 갑자기 눈물이 주르르 쏟아졌다. 인숙

은 그것을 씻을 생각도 않고 젖은 눈으로 열심히 만기를 쳐다보며 서 있었다. 조금이라도 만기가 움직이기만 하면 인숙은 쓰러지듯 그대로 만기 가슴에 얼굴을 묻고 매어달릴 것 같았다.

"미스 홍이 어떻게 그런 대금을 자유로 할 수 있겠소!"

만기는 그럴수록 냉정한 언동을 유지하려고 애쓰며 물었다.

"그동안 제가 받은 급료에는 전혀 손을 대지 않구 제 몫으로 고스란히 모아 왔어요. 어른들은 제 결혼 비용으로 생각하고 계셨지만 저는 선생님께 병원을 차려 드릴 일념으로 모아 온 돈이에요!"

동일한 자세로 만기의 얼굴을 지켜보고 섰는 인숙의 눈에는 새로운 눈물이 계속해 흘렀다. 그 눈물 저쪽에 타오르고 있는 인숙의 눈에서 만기는 아내의 애정을 보았고 은주의 열정을 느꼈다. 영롱하게 젖은 그 눈 속에는 모든 여자가 진정으로 사랑하는 남자에게만 보여 주는 마음의 비밀이 빛나고 있었다. 만기도 가슴속이 훅 달아오르는 것을 참고 눌렀다.

"미스 홍, 입이 있어도 내게는 당장 대답할 말이 없소. 인제 그만 눈물을 닦아요. 어제 오늘은 내 머리도 몹시 복잡합니다. 훗날 머리가 좀 식은 다음에 천천히 얘기합시다."

겨우 그런 말을 중얼거리고 만기는 문간에서 기다리고 섰는 봉우를 따라 밖으로 나와 버리고 말았다.

봉우 처에게 전화를 걸었더니 딴 사람이 전화를 받았지만 이내 만날 수 있게 연락을 취해 주었다. 지정한 다방으로 가 보니 봉우 처가 기다리고 있었다. 앞장서 들어서는 만기를 보고 반색을 하다가 뒤따라 들어오는 자기 남편을 보고 여자는 놀라는 눈치였다. 마주 앉기가 바쁘게 만기는 용건부터 얘기했다. 익준이와 봉우와 자기는 중학 시절 이래 막역한 친구임을 말하고 나서 익준이네 비참한 가정 형편을 들려 주었다. 그리고는 장례 비용을 희사하거나 빌려 주기를 간청한 것이다.

"정말야, 이 친구 말대루야. 나두 보구 가만 있을 수가 없어. 몇 달 동안 내 용돈을 안 타 써두 좋으니까 사정을 봐 줘."

봉우는 제법 용기를 내서 아이가 어머니에게 조르듯이 옆에서 거들었다. 그 사이 봉우 처는 몇 번이나 낯색이 변하였다.

"선생님에게두 저 같은 여자가 소용에 닿을 때가 있군요. 좋아요, 저는 점잖은 선생님의 청을 거절할 용기가 없어요."

여자는 언어 이상의 의미를 표정으로 나타내고 나서 일어서 저쪽으로 가려다가,

"오만 환 정도라면 당장 되겠어요. 물론 현금이 좋으시겠죠."

대답도 듣지 않고 카운터 뒤로 사라져 버리더니 좀 뒤에 현찰을 신문지에 꾸려 가지고 돌아왔다. 만기가 치하를 하고 일어서려니까,

"이 돈 그냥 드리는 건 아니에요."

여자가 그래서,

"알겠습니다. 이 자리에서 기일 약속은 할 수 없지만 반드시 책임지고 갚아 드리겠습니다."

그랬더니 봉우 처는 문간까지 따라 나오며 애교 띤 농담조로,

"고지식한 양반. 그렇다면 원금만 갖고는 안 되겠어요. 적당한 이자까지 듬뿍, 아시겠어요?"

거의 아양에 가까운 교태였다. 봉우의 눈치를 곁눈질로 살피며 당황히 줄달음치듯 나오는 만기 등 뒤에다 대고,

"일간 다시 들러 주세요. 선생님 일루 꼭 의논할 일이 있으니까요!"

여자는 거리낌없이 소리를 지르는 것이었다.

하여간 그 돈으로 간소하나마 격식을 갖추어 장례식을 무사히 치를 수 있은 것은 다행한 일이었다. 관을 사 오고 광목을 떠다 아이들에게 상복을 지어 입히고 고무신도 사다 신겼다. 의논해서 화장을 않고 망우

리에 무덤을 남기기로 했다. 장지로 향하는 차 안에서 익준이가 없는 것을 만기가 탄식했더니,

"살아서두 남편 구실 못한 위인, 죽은 댐에야 있으나마나지!"

익준의 장모는 개의치 않았다. 그러나 좀 늦게나마 남편 구실을 못한 익준이 그 날로 집에 돌아오기는 한 것이다. 거의 황혼 무렵이 되어서 산에서 돌아온 일행이 익준네 집 골목 어귀에서 차를 내렸을 때였다. 저쪽에서 머리에 흰 붕대를 감고 이리로 걸어오는 허술한 사내가 있었다. 아이들이 먼저 알아차리고,

"아, 아버지다!"

소릴 질렀다. 그러자 익준은 멈칫 걸음을 멈추었고 이쪽에서들도 일제히 그리로 시선을 보냈다. 익준은 머리에 상처를 입은 모양이었다. 한 손에는 아이들 고무신 코숭이가 비죽이 내보이는 종이 꾸러미를 들고 있었다. 그는 무표정한 얼굴로 이쪽을 향하고 꼼짝 않고 서 있었다. 석상처럼 전연 인간이 느껴지지 않는 얼굴이었다.

"어이구, 차라리 쓸모없는 저 따위나 잡아가지 않구, 염라대왕두 망발이시지!"

익준의 장모는 사위를 바라보면서 그렇게 중얼대고 인제야 눈물을 질금거렸다. 그래도 아이들이 제일 반가워했다. 일곱 살 먹은 끝엣놈은,

"아부지!"

하고 부르며 쫓아가서 매달렸다.

"아부지, 나, 새 옷 입구 자동차 타구 산에 갔다 왔다!"

어린것이 자랑스레 상복을 쳐들어 보여도 익준은 장승처럼 선 채 움직일 줄을 몰랐다.

# 비 오는 날

　이렇게 비 내리는 날이면 원구의 마음은 감당할 수 없도록 무거워지는 것이었다. 그것은 동욱 남매의 음산한 생활 풍경이 그의 뇌리를 영사막처럼 흘러가기 때문이었다. 빗소리를 들을 때마다 원구에게는 으레 동욱과 그의 여동생 동옥이 생각나는 것이었다. 그들의 어두운 방과 쓰러져 가는 목조 건물이 비의 장막 저편에 우울하게 떠오르는 것이었다. 비록 맑은 날일지라도 동욱의 오뉘의 생활을 생각하면, 원구의 귀에는 빗소리가 설레고 그 마음 구석에는 빗물이 스며 흐르는 것 같았다. 원구의 머릿속에 떠오르는 동욱과 동옥은 그 모양으로 언제나 비에 젖어 있는 인생들이었다.

　동욱의 거처를 왕방하기 전에 원구는 어느 날 거리에서 동욱을 만나 저녁을 같이 한 일이 있었다. 동욱은 밥보다도 먼저 술을 먹고 싶어했다. 술을 마시는 동욱의 태도는 제법 애주가였다. 잔을 넘어 흘러내리는 한 방울도 아까워서 동욱은 혀끝으로 잔굽을 핥았다. 기독교 가정에서 성장했을 뿐 아니라 몇몇 교회에서 다년간 찬양대를 지도해 온 동욱의 과거를 원구는 생각하며, 요즈음은 교회에 나가지 않느냐고 물어보았다. 동욱은 멋쩍게 씽긋 웃고 나서 이따마큼 한 번씩 나가노라고 하고, 그런 때는 견딜 수 없는 절망감에 숨이 막힐 것 같은 날이라는 것이었다. 동욱은 소매와 깃이 너슬너슬한 양복저고리에 교회에서 구제품으로 탄 것이라는, 바둑판처럼 사방으로 검은 줄이 죽죽 간 회색 즈봉을 입고 있었다. 무엇보다도 그의 구두가 아주 명물이었다. 개미허리처럼 중간이 잘룩한데다가 코숭이만 주먹만큼 뭉툭 솟아오른 검정 단화를 신고 있었다. 그건 꼭 채플린이나 신음직한 괴이한 구두였기 때문에 잔을 주고받으면서도 원구는 몇 번이나 동욱의 발을 내려다보는 것이었다. 그 동안 무얼 하며 지내느냐는 원구의 물음에 동욱은 끼고 온 보자기를 끄르고 스크랩북을 펴 보이는 것이었다. 몇 장 벌컥벌컥 뒤지는데 보니, 서양 여자랑 아이들의 초상화가 드문드문 붙어 있었다. 그 견본을 가지고 미군 부대를 찾아다니며 초상화의 주문을 맡는다는 것이었다. 대학에서 영문과를 전공한 것이 아주 헛일은 아니었다고 하며 동욱은 닝글닝글 웃었다. 동욱의 그 닝글닝글한 웃음을 원구는 이전부터 몹시 꺼렸다. 상대방을 조롱하는 것 같은 그러면서도 자조적이요, 어쩐지 친애감조차 느껴지는 그 닝글닝글한 웃음은 원구에게 어떤 운명적인 중압을 암시하여 감당할 수 없이 마음이 무거워지는 것이었다. 대체 그림은 누가 그리느냐니까, 지금 여동생 동옥이와 둘이 지내는데, 동옥은 어려서부터 그림을 좋아하더니 초상화를 곧잘 그린다는 것이다. 동옥이란 원구의 귀에도 익은 이름이었다. 소학교 시절에 동욱이네 집에 놀러 가면 그 때 대여섯 살밖에 안 되는 동옥이가 귀찮게 졸졸 따라 다니던 기억이 새로웠다. 동옥은 그 당시 아이들 사이에 한창 유행되었던 '중중 때때 중 바랑 메고 어디 가나'를 부르고 다녔다. 그 사이 이십 년이라는 세월이 흐르고 보니 동옥의 모습은 전연 기억도 남지 않았다. 동욱의 말에 의하면 지난번 1·4후퇴 당시 데리고 왔는데 요새 와서는 짐스러워 후회될 때가 있다는 것이었다. 그의 남편은 못 넘어 왔느냐니까, 뭘 입때 처년데, 했다. 지금 몇 살인데 미혼이냐고 묻고 싶었지만, 원구는 혼기가 지난 동욱이나 자기 자신도 아직 독신인 걸 생각하고, 여자도 그럴

수가 있을 거라고 속으로 주억거리며 그는 입을 다물었다. 동욱의 나이가 지금 이십오륙 세가 아닐까 하고 원구는 지나간 세월과 자기 나이에 비추어서 속어림으로 따져 보는 것이었다. 술에 취한 동욱은 다자꾸 원구의 어깨를 한 손으로 투덕거리며, 동옥이년이 정말 가엾어, 암만 생각해도 그 총기며 인물이 아까워, 그런 말을 되풀이하는 것이었다. 그리고는 다시 잔을 비우고 나서, 할 수 있나 모두가 운명인걸, 하고 고개를 흔드는 것이었다. 동욱은 머리를 떨어뜨린 채 내가 자네람 주저없이 동옥이와 결혼할 테야, 암 장담하구말구, 혼잣말처럼 그렇게도 중얼거리는 것이었다. 종잡을 수 없는 동욱의 그런 말에 원구는 무슨 영문인지도 모르면서, 암 그럴 테지 하며 동욱의 손을 쥐어 흔드는 것이었다. 동욱은 음식집을 나와 헤어질 무렵에 두 손을 원구의 양 어깨에 얹고 자기는 꼭 목사가 되겠노라고 했다. 그것이 자기의 갈 길인 것 같다고 하며 이제 새 학기에는 신학교에 들어가겠다는 것이었다. 어깨가 축 늘어져서 걸어가는 동욱의 초라한 뒷모양을 바라보고 서서 원구는 또다시 동욱의 과거와 그 집안을 그려 보며, 목사가 되겠노라고 하면서도 술을 사랑하는 동욱을 아껴 줘야겠다고 생각하는 것이었다.

그 뒤 원구가 처음으로 동욱을 찾아간 것은 40일이나 계속된 긴 장마가 시작된 어느 날이었다. 동래 종점에서 전차를 내리자, 동욱이가 쪽지에 그려 준 약도를 몇 번이나 펴 보며 진득진득 걷기 힘든 비탈길을 원구는 조심히 걸어 올라갔다. 비는 여전히 줄기차게 내리고 있었다. 우산을 받기는 했으나 비가 후려치고 흙탕물이 튀고 해서 정강이 밑으로는 말이 아니었다. 동욱이가 들어 있는 집은 인가에서 뚝 떨어져 외따로이 서 있었다. 낡은 목조 건물이었다. 한 귀퉁이에 버티고 있는 두 개의 통나무 기둥이 모로 기울어지려는 집을 간신히 지탱하고 있었다. 기와를 얹은 지붕에는 두세 군데 잡초가 반 길이나 무성해 있었다. 나중에 들어 알았지만 왜정 때는 무슨 요양원으로 사용되어 온 건물이라는 것이었다. 전면은 본시 전부가 유리 창문이었는데 유리는 한 장도 남아 있지 않았다. 들이치는 비를 막기 위해서 오른편 창문 안에는 가마니때기가 드리워 있었다. 이 폐가와 같은 집 앞에 우두커니 우산을 받고 선채, 원구는 한동안 움직이지 않았다. 이런 집에도 대체 사람이 살고 있을까? 아이들 만화책에 나오는 도깨비집이 연상됐다. 금시 대가리에 뿔이 돋은 도깨비들이 방망이를 들고 쏟아져 나올 것만 같았다. 이런 집에 동욱과 동옥이가 살고 있다니, 원구는 다시 한 번 쪽지에 그린 약도를 펴 보았다. 이 집임에 틀림없었다. 개천을 끼고 올라오다가 그 개천을 건너선 왼쪽 산비탈에는 도대체 집이라고는 이 집 한 채뿐이었다. 원구는 몇 걸음 다가서며 말씀 좀 묻겠습니다 하고 인기척을 냈다. 안에서는 아무런 응답이 없었다. 원구는 같은 말을 또 한 번 되풀이했다. 그래도 잠잠하다. 차차 거세가는 빗소리와 도랑물 소리뿐, 황폐한 건물 자체가 그대로 죽음처럼 고요했다. 원구는 좀더 큰 소리로 안녕하십니까? 하고 불러보았다. 원구는 제 소리에 깜짝 놀랐다. 목에 엉켰던 가래가 풀리며 탁 터져나오는 음성이 예상 외로 컸던 탓인지, 그것은 마치 무슨 비명처럼 들리었기 때문이다. 그러자 문 안에 친 거적 귀퉁이가 들썩하며, 백지에 먹으로 그린 초상화 같은 여인의 얼굴이 나타난 것이다. 살결이 유달리 희고 눈썹이 남보다 검은 그 여인은 원구를 내다보며 좀처럼 입을 열지 않았다. 저게 동옥인가 보다고 속으로 생각하며 여기가 김동욱 군의 집이냐는 원구의 물음에 여인은 말없이 약간 고개를 끄덕여 보였을 뿐이다. 눈썹 하나 까딱하지 않는 그 태도는 거만해 보이는 것이었다. 동욱 군 어디 나갔습니까? 하고, 재차 묻는 말에도 여인은 먼저처럼 고개만 끄덕였다. 그러고 나서 원구를 노려보는 듯하는 그 눈에는 까닭 모를 모멸과 일종의 반항적 태도까지 서리어 있는 것이었다. 여인은 혹시 자기를 오해하고 있지 않나 싶어 정원구라는 이름을 밝히고 나서 동욱과는 소학교에서 대학교까지 동창이었다는 것과, 특히 소학 시절에는 거의 날마다 자기가 동욱이네 집에 놀러 가거나, 동욱이가 자기네 집에 놀러 왔다는 것을 설명해 주었다. 그래도 여인의 표정에는 별다른 변화가 없었다. 원구는 한층 더 부드러운 음성으로 혹시 동욱 군의 여동생이 아니십니까? 동옥이라구…… 하고 물었다. 여인은 세 번째 고개를 끄덕여 보인 것이다. 그리고 비로소 그 얼굴에 조소를 품은 우울한 미소가 약간 어리는 것이었다. 동욱이 어디 갔느냐니까 그제야 모르겠는데요 하고 입을 열었다. 꽤 맑은 음성이었다. 그러면 언제 돌아올지 모르겠군요 하니까, 이번에도 동옥은 머리를 끄덕이는 것이었다. 무례한 동옥의 태도에 불쾌와 후회를 느끼면서 원구는 발길을 돌이키는 수밖에 없었다. 동욱이가 돌아오거든 자기가 다녀갔다는 말을 전해 달라고 이르고 돌아서는 원구에게 동옥은 아무러한 인사도 하지 않았다. 물탕에 젖어 꿀쩍거리는 신발 속처럼 자기의 머리는 어쩔 수 없는 우울에 잠뿍 젖어 있는 것이라고 공상하며 원구는 호박덩굴 우거진 철둑길을 걸어 나갔다. 그 무거운 머리를 지탱하기에는 자기의 목이 지나치게 가는 것 같이 여겨졌다. 그것은 불안한 생각이었다. 얼마쯤 가다가 원구는 별생각이 없이 걸음을 멈추고 뒤를 돌아보았다. 안개비 속으로 바라보이는 창연한 건물은 금방 무서운 비명과 함께 모로 쓰러질 것만 같았다. 자기가 발길을 돌리자 아마 쓰러질는지도 모른다는 생각에 이제나저제나 하고 집을 지켜보고 섰던 원구는 흠칫 놀라듯이 몸을 떨었다. 창문 안에 드리운 거적을 캔버스 삼아 그림처럼 선명히 떠올라 있는 흰 얼굴이 눈에 띄었기 때문이다. 그것은 동옥의 얼굴임에 틀림없었다. 어쩌자고 동옥은 비 뿌리는 창문에 붙어서서 저렇게 짓궂게 나를 바라고 있는 것일까? 어려서 들은, 여우가 사람을 홀린다는 얘기가 연상되어 전신에 오한을 느끼며 발길을 돌이키는 원구의 눈앞에 찢어진 지우산을 받고 다가오는 사나이가 있었다. 다행히도 그것은 동욱이었다. 찬거리를 사러 잠깐 나갔다가 오노라는 동욱은, 푸성귀며 생선 토막이 들어 있는 저자구럭을 한 손에 들고 있었다. 이 먼 델 비 맞고 왔다가 그냥 돌아가는 법이 있느냐고 하며 동욱은 원구의 손을 잡아 끄는 것이었다. 말할 기력조차 잃은 사람처럼 원구는 묵묵히 뒤를 따라갔다. 좀전의 동옥의 수수께끼 같은 태도는 더욱 이해할 수 없는 무거운 그림자가 되어 원구의 머리를 뒤집어씌우는 것이었다. 동욱에게 재촉을 받고 방 안에 들어서는 원구를 동옥은 반항적인 태도로 힐끔 쳐다보는 것이었다. 물론 일어서거나 옮겨 앉으려고도 하지 않았다. 비오는 날인데다가 창문까지 거적대기로 가리어서 방 안은 굴 속같이 침침했다. 다다미 여덟 장 깔리는 방 안은 다다미 위에다 시멘트 종이로 장판 바르듯한 것이었다. 한편 천장에서는 쉴 사이 없이 빗물이 떨어졌다. 빗물 떨어지는 자리에는 바께쓰가 놓여 있었다. 촐랑촐랑 쪼르륵 촐랑, 빗물은 이와 같은 연속적인 음향을 남기며 바께쓰 안에 가 떨어지는 것이다. 무덤 속 같은 이 방 안의 어둠을 조금이라도 구해 주는 것은 그래도 빗물 소리뿐이었다. 그러나 그 빗물 소리마저 바께쓰에 차츰 물이 늘어 갈수록 우울한 음향으로 변해 가는 것이었다. 동욱은 별로 원구와 동옥을 인사 시키거나 소개하려 하지 않았다. 동욱은 젖은 옷을 벗어서 걸고 러닝셔츠와 팬츠 바람으로, 식사 준비를 할 테니 잠깐만 앉아 있으라고 하고 부엌으로 나가는 것이었다. 부엌이라야 따로 있는 것이 아니라 비어 있는 옆방이었다. 다다미는 걷어서 벽 한구석에 기대어 놓아 장판뿐인 실내에는 여기저기 빗물이 오줌발처럼 쏟아졌다. 거기에는 취사 도구가 너저분하니 널려 있는 것이었다. 연기가 들어간다고 사잇문을 닫아 버리고 나서, 동욱은 풍로에 불을 피우느라고 부채질을 하며 야단이었다.

열 시가 조금 지난 회중시계를 사잇문 틈으로 꺼내 보이며, 도대체 조반이냐 점심이냐는 원구의 질문에 동욱은 닝글닝글하며 자기들에게는 삼시의 구별이 없다고 했다. 언제든 배고프면 밥을 끓여 먹고 밥 생각이 없는 날은 종일이라도 굶고 지낸다는 것이다. 동욱이가 부엌에서 혼자 바삐 돌아가는 동안 동옥은 역시 한자리에 앉아 꼼짝도 하지 않았다. 동옥은 가끔 하품을 하며 외국에서 온 낡은 화보를 뒤적이고 있었다. 그러한 동옥이와 마주 앉아 자기는 도대체 무엇을 생각해야 하며 또한 어떠한 포즈를 지속해야 하는가? 원구는 이런 무의미한 대좌를 감당할 수 없어 차라리 부엌에 나가 풍로에 부채질이나마 거들어 줄까도 생각해 보는 것이었다. 그러나 고만한 행동도 이 상태로는 일종의 비약이라 적지 아니한 용기가 필요했다. 그러는 동안 원구는 별안간 엉덩이가 척척해 들어옴을 의식하였다. 바께쓰의 빗물이 넘어서 옆에 앉아 있는 원구의 자리로 흘러내린 것이었다. 원구는 젖은 양복 바지 엉덩이를 만지며 일어섰다. 그제서야 동옥도 바께쓰의 물이 넘는 줄을 안 모양이다. 그러나 동옥은 직접 일어나서 제 손으로 치려고 하지도 않았다. 앉은 채 부엌 쪽을 향하여, 오빠 물 넘어, 했을 뿐이었다. 동욱은 사잇문을 반쯤 열고 들여다보며 이년아, 네가 좀 치우지 못해? 하고 목에 핏대를 세웠다. 그러자 자기가 나서기에 절호한 기회라고 생각한 원구는 내가 내다 버리지, 하고 한 손으로 바께쓰를 들어올렸다. 그러나 한 걸음도 미처 옮겨 놓을 사이도 없이 바께쓰는 철거렁 하는 소리와 함께 한옆이 떨어지며 물이 좌르르 쏟아졌다. 손잡이의 한쪽 끝 갈퀴가 구멍에서 벗겨진 것이었다. 순식간에 방바닥은 물바다가 되고 말았다. 여지껏 꼼짝도 않고 앉아 있던 동옥도 그제만은 냉큼 일어나 한 걸음 비껴서는 것이었다. 그 순간 동옥의 동작이 예사롭지가 않았다. 원구에게 또 하나 우울의 씨를 뿌려 주는 것이었다. 원피스 밑으로 드러난 동옥의

왼쪽 다리가 어린애의 손목같이 가늘고 짧았기 때문이다. 그러한 다리를 옮겨 디디는 순간 동옥의 전신은 한쪽으로 쓰러질 듯이 기울어지는 것이었다. 동옥은 다시 한 번 그 가늘고 짧은 다리를 옮겨 놓는 일 없이, 젖지 않은 구석 자리에 재빨리 주저앉아 버리고 말았다. 그리고는 희다 못해 파랗게 질린 얼굴에 독이 오른 눈초리로 원구를 잡아먹을 듯이 노려보는 것이었다. 동옥의 시선을 피하여 탁류의 대하 가운데 떠 있는 것 같은 공포에 몸을 떨며 원구는 마지막 기력을 다하여 허우적거리듯 두 발로 물 괸 방을 허우적거려 보는 것이었다.

그 뒤로는 비가 와서 가게를 벌일 수 없는 날이면 원구는 자주 동욱이네 집을 찾아가는 것이었다. 불구인 그 신체와 같이 불구적인 성격으로 대해 주는 동옥의 태도가 결코 대견할 리 없으면서도, 어느 얄궂은 힘에 조종당하듯이 원구는 또다시 찾아가지 아니할 수 없는 것이었다. 침침한 방 안에 빗물 떨어지는 소리가 듣고 싶어서일까? 동옥의 가늘고 짧은 한쪽 다리가 지니고 있는 슬픔에 중독된 탓일까? 이도저도 아니면 찾아갈 적마다 차츰 정상적인 데로 돌아오는 동옥의 태도에 색다른 매력을 발견한 탓일까? 정말 동옥의 태도는 원구가 찾아가는 횟수에 따라 현저히 부드러워지는 것이었다. 두 번째 찾아갔을 때 동옥은 원구를 보자 얼굴을 붉히었다. 그리고는 고개를 숙였다. 세 번째 찾아갔을 때는 원구를 보자 동옥은 해죽이 웃어 보인 것이었다. 그러나 그것은 우울한 미소였다. 찾아갈 때마다 달라지는 동옥의 태도가 원구에게는 꽤 반가운 것이었다. 인사불성에 빠졌던 환자가 제정신으로 돌아올 때처럼 고마웠다. 첫 번 불렀을 때는 눈을 감은 채 아무런 반응도 없던 환자가, 두 번째 부르자 눈을 간신히 떴고, 세 번째 불렀을 때는 제법 완전히 눈을 떠서 좌우를 둘러보다가 물 좀 하고 입을 열었을 경우와 같은 반가움을 원구는 동옥에게서 경험하는 것이었다. 두 번째 갔을 때에는 지난

번 빗물 쏟아지던 자리에 바께쓰가 놓여 있지 않았다. 그 자리에는 제
창 떼꾼히 구멍이 뚫려 있었다. 주먹이 두어 개나 드나들 만한 그 구멍
은 다다미에서부터 그 밑의 널판까지 뚫려 있었다. 천장에서 흘러내리
는 빗물은 구멍을 통과해 널판 밑 흙바닥에 둔탁한 음향을 남기며 떨어
졌다. 기실 비는 여러 군데서 새는 모양이었다. 널빤지로 된 천장에서
떨어진 빗물은 약간 경사진 쪽으로 오다가 소 눈깔만한 옹이 구멍으로
새어 흐르는 것이었다. 그 날만 해도 원구와 동욱이가 주고받는 말에
비교적 냉담한 동옥이었다. 그러나 세 번째 갔을 때부터는 원구와 동욱
이가 웃을 때는 함께 따라 웃어 주는 것이었다. 간혹 한두 마디씩은 말
추렴에도 들었다. 그 날은 일찌감치 저녁을 얻어먹고 돌아오려고 하는
데 비가 하도 세차게 퍼부어서 자고 오는 수밖에는 없었다. 한 손에 우
산을 들고 선 채 회색 장막을 드리운 듯, 비에 뿌예진 창밖을 내다보며
망설이고 있는 원구의 귀에, 고집 피우지 말고 자고 가라는 동욱의 말
에 뒤이어 이런 비에는 앞 도랑에 물이 불어서 못 건너십니다, 하는 동
옥의 음성이 들린 것이었다. 그날 밤 비로소 원구는 가벼운 기분으로
동옥에게 말을 걸 수가 있었던 것이었다. 언제부터 그림 공부를 했느냐
니까, 초상화 따위가 뭐 그림인가요, 하고 그 우울한 미소를 지어 보이
는 것이었다. 원구는 동옥의 상처를 건드릴 만한 말은 일절 꺼내지 않
았다. 어렸을 때 얘기가 나서 어딜 가나 강아지새끼처럼 쫓아다니는 동
옥이가 귀찮았다는 말을 하고 '중중 때때중'을 자랑스레 부르고 다녔다
니까 동옥의 눈이 처음으로 티없이 빛나는 것이었다. 갑자기 동욱이가
중중 때때중 하고 부르기 시작하자 동옥도 가느다란 소리로 따라 부르
는 것이었다. 노랫소리가 그치고 나니 방 안에는 빗물 떨어지는 소리가
유달리 크게 들렸다. 비가 들이치는 바람에 바깥벽 판장 틈으로 스며드
는 물은 실내의 벽 한구석까지 적시기 시작하는 것이었다. 그런데 이상

한 것은 동옥을 대하는 동욱의 태도였다. 대수롭지 않은 일에도 이년 저년 하고 욕을 퍼붓는 것이다. 부엌에서 들여보내는 음식 그릇을 한 손으로 받는다고 해서, 이년아 한 손으로 그러다가 또 떨어뜨리고 싶으냐, 하고 눈을 흘겼고 남포에 불을 켜는데 불이 얼른 댕기지 않아 성냥알을 두 개비째 꺼내려니까 저년은 밥 처먹고 불두 하나 못 켜, 하고 노려보는 것이었다. 그럴 때마다 동옥은 말없이 마주 눈을 흘겼다. 빨래와 바느질만은 동옥의 책임이지만 부엌일은 언제나 동욱이가 맡아 한다는 것이었다. 동옥이가 변소에 간 틈에, 될 수 있는 대로 위로해 주지 않고 왜 그리 사납게 구느냐니까, 병신 고운 데 없다고 그년 맘 쓰는 게 모두가 틀렸다는 것이다. 우선 그림값만 하더라도 얼마 전까지는 받아 오면 반씩 꼭 같이 나눠 가졌는데 근자에 와서는 동욱을 신용할 수가 없다고 대소에 따라 한 장에 얼마씩 또박또박 선금을 받고야 그려 준다는 것이었다. 생활비도 둘이 똑같이 절반씩 부담한다는 것이다. 동옥은 자기가 병신이기 때문에 부모말고는 자기를 거두어 오래 돌봐 줄 사람이 없으리라는 것이다. 오빠도 언제든 자기를 버릴 것이 아니겠느냐, 그렇기 때문에 자기는 자기대로 약간이라도 밑천을 장만해 두어야 비참한 꼴을 면하지 않겠느냐고 한다는 것이었다. 그러한 동옥의 심중을 생각할 때 헤어져 있으면 몹시 측은하기도 하지만 이상하게 낯만 대하면 왜 그런지 안 그리리라 하면서도 동욱은 다자꾸 화가 치민다는 것이다. 동옥은 불을 끄고는 외로워서 잠을 이루지 못한다고 했다. 반대로 동욱은 불을 꺼야만 안심하고 잠을 들 수가 있다는 것이었다. 동욱은 어둠만이 유일한 휴식이노라 했다. 낮에는 아무리 가만하고 앉았거나 누워 뒹굴어도 걸레처럼 전신에 배어 있는 피로가 가시지 않는다는 것이었다. 그러한 동욱은 심지를 낮추어서 희미하게 켜 놓은 불빛에도 화를 내어 이년아 아주 꺼 버리지 못해 하고 소리를 질렀다. 동옥은 손을 내밀어 심지를 조금 더 낮추었다. 그러고 나서, 누가 데려오랬나 차라리 어머니하고 거기 있을걸 괜히 왔지 하고 쫑알대는 것이었다. 그러자 동욱은 벌떡 일어나며 이년 다시 한 번 그 주둥일 놀려 봐라, 나두 너 같은 년 끌구 오구 싶지 않았다. 어머니가 하두 애원하시듯, 다 버리구 가더라두 네년만은 데리고 가라구 하 조르기에 끌구 와 이 꼴이다 하고 골을 내는 것이었다. 동옥은 말없이 저편으로 돌아누웠다. 어렴풋이 불빛이 있음에도 불구하고 어둠이 가슴을 내리누르는 것 같아서 원구는 오래도록 잠을 이룰 수가 없었다. 동욱도 잠이 안 오는 모양이었다. 동옥 역시 필경 잠이 들지 않았으련만 죽은 듯이 가만하고 있었다. 후두둑후두둑 유리 없는 창문으로 들이치는 빗소리를 들으며, 사십 주야를 비가 퍼부어서 산꼭대기에다 배를 묶어 둔 노아네 가족만이 남고 이 세상이 전멸을 해 버렸다는, 《구약성경》에 나오는 대홍수를 원구는 생각해 보는 것이었다. 그러다가 어렴풋이 잠이 들려고 하는 때였다. 커다란 적선으로 생각하고 동옥과 결혼할 용기는 없는가 하는 동욱의 음성이 잠꼬대같이 원구의 귀를 스쳤다. 원구는 눈을 떴다. 노려보듯이 천장을 바라보며 그는 반듯이 누워 있었다. 동욱의 입에서 다시 무슨 말이 흘러나올지도 모른다는 긴장을 느끼면서. 그러나 동욱은 아무 말이 없었다. 빗물 떨어지는 소리만이 여전히 계속되고 있을 뿐이었다. 원구가 또다시 간신히 잠이 들락할 때였다. 발치 쪽에서 빠드득 하는 이상한 소리가 났다. 원구는 정신을 바짝 차리고 귀를 재웠다. 뱀에게 먹히는 개구리 소리 비슷한 그 소리는 뒷벽 쪽에서 들리는 것이었다. 원구는 이번에는 상반신을 일으키고 앉아 귀를 기울이는 것이었다. 그 바람에 동욱이도 눈을 떴다. 저게 무슨 소리냐고 한즉, 뒷방의 계집애가 자면서 이 가는 소리라는 것이다. 이 뒷방에도 사람이 사느냐니까 육순이 넘은 노파가 열두 살 먹은 소녀를 데리고 산다고 했다. 그 노파가 바로 이 집 주인인데, 전차

종점 나가는 길목에 하꼬방 가게를 내고 담배, 성냥, 과일, 사탕 같은 것들을 팔아서 근근히 생활해 가고 있다는 것이었다. 뒷집 소녀는 잠만 들면 반드시 이를 간다는 것이었다. 동욱도 처음 며칠 밤은 그 소리에 골치를 앓았지만 요즘은 습관이 되어 괜찮노라고 했다. 이러한 방에서 빗물 떨어지는 소리와 이 가는 소리를 듣고 지내면 아무라도 신경 과민이 될 것이라고 생각하며, 원구는 좀전에 동욱이가 잠꼬대처럼 한 말의 의미를 되새겨 보는 것이었다.

사오 일 지나서였다. 오래간만에 비가 그치고 제법 날이 훤해져서 잡화를 가득 벌여 놓은 리어카를 지키고 섰노라니까, 다 저녁때 원구의 어깨를 툭 치는 사람이 있었다. 동욱이었다. 그는 역시 소매와 깃이 다 처진 저고리와 검은 줄이 간 회색 즈봉을 입고 있었다. 옷이라고는 그것밖에 없는 모양이라 비에 젖은 것을 그냥 짜서 말리곤 해서 여기저기 구김살이 져 있었다. 그보다도 괴이한 채플린식의 검정 단화의 주먹 같은 코숭이가 말이 아니었다. 장화 대용으로 진창을 막 밟고 다녀서 온통 흙투성이였다. 그러한 동욱의 꼴에 원구는 이상하게 정이 갔다. 리어카를 주인집에 가져다 맡기고 와서 저녁을 같이 하자고 원구는 동욱의 손을 끌었다. 동욱은 밥보다도 술 생각이 더 간절하다고 했다. 두가지 다 먹을 수 있는 집으로 원구는 동욱을 안내했다. 술이 몇 잔 들어가 얼근해지자 동욱은 초상화 '주문 도리'를 폐업했노라고 했다. 요즘은 양키들도 아주 약아져서 까딱하면 돈을 잘리거나 농락당하기가 일쑤라는 것이다. 거기에다 패스 없는 사람의 출입을 각 부대가 엄중히 단속하기 때문에 전처럼 드나들 수가 없다는 것이었다. 며칠 전에는 돈 받으러 몰래 들어갔다가 순찰 장교에게 걸려서 하룻밤 몽키 하우스의 신세를 지고 나왔다는 것이다. 더구나 요즈음은 국민병 수첩까지 분실했으므로 마음 놓고 거리에 나와 다닐 수도 없다는 것이다. 분실계를 내고 재교

부 신청을 하라니까 그 때문에 동회로 파출소로 사오 차나 쫓아다녀 봤지만 까다롭게만 굴고 잘 들어 주지 않는다는 것이다. 까짓거 나중에는 삼수갑산엘 갈망정 내버려 둘 테라고 했다. 그래 차라리 군에라도 들어가 버릴까 싶어, 마침 통역 장교를 모집하기에 그 원서를 타러 나왔던 길이노라고 했다. 어디 원서를 좀 구경하자니까 동욱은 능글능글 웃으며, 수속이 하두 복잡하고 번거로워 아예 단념하고 말았다는 것이다. 동욱은 한동안 말이 없이 술잔을 빨고 앉았다가, 가끔 찾아와서 동옥을 좀 위로해 주라는 것이었다. 세상 사람들이 모두 자기를 조소하고 멸시한다고만 생각하고 있는 동옥은 맑은 날일지라도 일절 바깥 출입을 않고 두더지처럼 방에만 처박혀 산다는 것이다. 그리고 모든 사람에게 반감을 품고 있다는 것이다. 그러한 동옥도 원구만은 자기를 업신여기지 않고 자연스레 대하여 준다고 해서 자주 찾아와 주기를 여간 기다리지 않는다고 했다. 초상화가 팔리지 않게 된 다음부터의 동옥은 초조와 불안 속에서 한층 더 자신의 고독을 주체하지 못해 쩔쩔맨다는 것이었다. 동욱은 그러한 동옥이가 측은해 못 견디겠노라고 했다. 언젠가처럼, 내가 자네람 동옥이와 결혼할 테야, 암 하구말구 하고 동욱은 고개를 주억거리는 것이었다. 술집을 나와 동욱은 이번에도 원구의 손을 꼭 쥐고 자기는 기어코 목사가 되겠노라고 했다. 동옥을 위해서나 자기 자신을 위해서나 그것만이 이 무거운 짐을 조금이라도 덜 수 있는 유일한 길인 것 같다는 것이었다.

　그 뒤에 한번은 딴 볼일로 동래까지 갔던 길에 동욱이네 집에 잠깐 들른 일이 있었다. 역시 그 날도 장마비는 구질구질 계속되고 있었다. 우산을 접으며 마루에 올라서도 동욱만이 머리를 내밀고 맞아 줄 뿐, 동옥의 기척이 없었다. 방에 들어가 보니 동옥은 담요로 머리까지 푹 뒤집어쓰고 죽은 사람처럼 누워 있었다. 이틀째나 저러고 자빠져 있다고 하며 동욱은 그 까닭을 설명했다. 동욱은 뒷방에 살고 있는 주인 노파에게 동욱이도 모르게 이만 환이나 빚을 주고 있었는데, 노파는 이 집까지도 팔아먹고 귀신같이 도주해 버렸다는 것이다. 어제 아침에 집을 산 사람이 갑자기 이사를 왔기 때문에 그 사실을 알았는데, 이게 또한 어지간히 감때사나운 자여서 당장 방을 비워 내라고 위협하듯 한다는 것이다. 말을 마치고 난 동욱은 요 맹꽁이 같은 년아, 글쎄 이게 집이라구 믿고 돈을 줘, 하고 발길로 동옥의 옆구리를 걷어찼다. 이년아, 이만 환이면 구화로 얼만 줄 아니, 이백만 환이다, 이백만 환이야. 내 돈을 내가 떼였는데 오빠가 무슨 상관이냐구, 그래 내가 없으면 네년이 굶어죽지 않구 살 테냐? 너 같은 병신이 단 한 달을 독력으로 살아? 동욱은 다시 생각해도 악이 받치는 모양이었다. 원구를 위해 동욱은 초밥을 만든다고 분주히 부엌으로 들락날락했으나 원구는 초밥을 얻어먹자고 그러고 앉아 견딜 수는 없었다. 그보다도 동옥이 이틀 동안이나 아무것도 먹지 않고 저러구 누워 있다고 하니, 혹시 동욱이가 잠든 틈에라도 몰래 일어나 수면제 같은 것을 먹고 죽어 있지나 않은가 싶어 불안한 생각이 솟았다. 원구는 조금이라도 더 앉아 견디기가 답답해서 자리를 일어서며 아무래도 방을 비워 주어야 하겠거든 자기도 어디 구해 보겠노라고 하니까, 동옥이가 인가 많은 데를 싫어하기 때문에 이 근처에다 외딴집을 구하는 수밖에 없다는 동욱의 대답이었다.

그 뒤로는 원구도 생활에 위협을 느끼기 시작했다. 한 달 가까이나 장마로 놀고 보니 자연 시원치 않은 장사 밑천을 그럭저럭 축내게 된 것이다. 원구가 얻어 있는 방도 지리한 비에 습기로 눅눅해졌다. 벗어놓은 옷가지며 이부자리에까지도 곰팡이가 끼었다. 그의 마음속에까지 곰팡이가 스는 것 같았다. 이런 날 이런 음산한 방에 처박혀 있자니, 동욱과 동옥의 일이 자연 무겁고 우울하게 떠오르는 것이었다. 점심때가 되어서 원구는 퍼붓는 비를 무릅쓰고 집을 나섰다. 오늘은 동욱이와 마주 앉아 곰팡이 슨 속을 씻어내리며, 동옥이도 위로해 줘야겠다고 생각하고 원구는 술과 통조림을 사 들고 찾아갔다.

낡은 목조 건물은 전과 마찬가지로 금방 쓰러질 듯 빗속에 서 있었다. 유리 없는 창문에는 거적도 그대로 드리워 있었다. 그러나 동욱이, 하고 원구가 불렀을 때 곰처럼 마루로 기어 나오는 사나이는 동욱이가 아니었다. 이 집에서 살던 젊은 남녀는 어디 갔느냐는 원구의 물음에 우락부락하게 생겼으되 맺힌 데가 없이 어딘가 허술해 보이는 사십 전후의 그 사나이는 아하, 당신이 정 뭐라는 사람이냐고 하고 대답 대신 혼자 머리를 끄덕끄덕하는 것이었다. 원구가 재차 묻는 말에 사나이는 이 집 주인이노라 하고 나서, 동욱은 외출한 채 소식 없이 돌아오지 않게 되었고, 그 뒤 동옥 역시 어디로 가 버렸는지 모르겠다는 것이었다. 동욱이가 안 돌아오는 지는 열흘이나 되었고, 동옥은 바로 이삼 일 전에 나갔다는 것이다. 원구는 더 무슨 말이 없이 서 있었다. 한 손에 보자기 꾸러미를 들고 한 손으로 우산을 받고 선 채 원구는 사나이의 얼굴만 멍하니 바라보는 것이었다. 원구는 그대로 발길을 돌려 몇 걸음 걸어가다가 되돌아와 보자기에 싼 물건을 끌러 주인 사나이에게 주었다. 이거 원, 이거 원, 하며 주인 사나이는 대뜸 입이 헤벌어졌다. 그리고는 자기 여편네와 아이들이 장사 나갔기 때문에 점심 한 그릇 대접할 수는 없으나 좀 올라와 담배라도 피우고 가라고 권하는 것이었다. 무슨 재미로 쉬어 가겠느냐고 하며 원구가 돌아서려니까, 주인은 잠깐만 하고 불러세우고 나서 대단히 죄송하게 되었노라고 하며, 사실은 동옥이가 정 누구라고 하는 분이 찾아오면 전해 달라고 편지를 맡기고 갔는데, 그만 간수를 잘 못해서 아이들이 찢어 없앴다는 것이다. 그래도 아무 말을 않고 멍청히 서 있는 원구를 주인 사나이는 무안한 눈길로 바라보며, 동욱은 아마 십중팔구 군대로 끌려 나갔을 거라고 하고, 동옥은 아이들처럼 어머니를 부르며 가끔 밤중에 울기에 뭐라고 좀 나무랐더니 그 다음 날 저녁에 어디론가 나가 버렸다는 것이다. 죽지나 않았을까, 자살을 하든 굶어 죽든…… 하고 혼잣말처럼 중얼거리며 돌아서는 원구의 등에다 대고 중요한 옷가지랑은 꾸려 갖고 간 모양이니 자살할 의사는 없었음이 분명하고, 한편 병신이긴 하지만 얼굴이 고만큼 밴밴하고서야, 어디 가 몸을 판들 굶어 죽기야 하겠느냐고 주인 사나이는 지껄이는 것이었다. 얼굴이 고만큼 밴밴하고서야 어디 가 몸을 판들 굶어 죽기야 하겠느냐는 말에, 이상하게 원구는 정신이 펄쩍 들어, 이놈, 네가 동옥을 팔아먹었구나 하고 대들듯 한 격분을 마음속 한구석에 의식하면서도 천근의 무게로 내리누르는 듯한 육체의 중량을 감당할 수 없어 그는 말없이 발길을 돌이키었다. 이놈, 네가 동옥을 팔아먹었구나, 하는 흥분한 소리가 까마득히 먼 곳에서 자기를 향하고 날아오는 것 같은 착각에 오한을 느끼며 원구는 호박덩굴 우거진 밭두둑 길을, 앓고 난 사람 모양 허정거리는(다리에 힘이 없어 잘 걷지 못하고 비틀거림) 다리로 걸어나가는 것이었다.

# 전광용

꺼삐딴 리

흑산도

지은이

1919~1988년. 함경남도 북청에서 출생. 호는 백사. 1939년에 《동아일보》에 〈별나라 공주와 토끼〉가 입선돼 문단에 등장했으며, 1955년에 《조선일보》 신춘문예에 〈흑산도〉가 당선된 이후 창작 활동을 전개했다. 논문 〈신소설 연구〉를 발표하는 등 신소설 연구를 선도함으로써 한국근대소설사 연구에도 많은 성과를 남겼다. 작품집 《흑산도》, 장편소설 〈태백산맥〉 등이 있다.

# 꺼삐딴 리

수술실에서 나온 이인국 박사는 응접실 소파에 파묻히듯이 깊숙이 기대어 앉았다.

그는 백금 무테안경을 벗어 들고 이마의 땀을 닦았다. 등골에 축축히 밴 땀이 잦아들어 감에 따라 피로가 스며 왔다. 두 시간 이십 분의 집도. 위장 속의 균종 적출. 환자는 아직 혼수 상태에서 깨지 못하고 있다.

수술을 끝낸 찰나 스쳐 가는 육감, 그것은 성공 여부의 적중률을 암시하는 계시 같은 것이다. 그러나 오늘은 웬일인지 뒷맛이 꺼림칙하다.

그는 항생질 의약품이 그다지 발달되지 않았던 일제 시대부터 개복 수술에 최단 시간의 기록을 세웠던 것을 회상해 본다.

맹장염이나 포경 수술, 그 정도의 것은 약과다. 젊은 의사들에게 맡겨 버리면 그만이다. 대수술의 경우에는 그렇게 방임할 수만은 없다. 환자 측에서도 대개 원장의 직접 집도를 조건부로 입원시킨다.

그는 그것을 자랑으로 삼아 왔고 스스로 집도하는 쾌감마저 느꼈었다.

그의 병원 부근은 거의 한 집 건너 병원이랄 수 있을 정도로 밀집한 지대다. 이름없는 신설 병원 같은 것은 숫제 비 온 장날 시골 전방처럼 한산한 속에 찾아오는 손님을 기다리고 있는 형편이다.

그러나 이인국 박사는, 일류 대학 병원에서까지 손을 쓰지 못하고 밀려오는 급환자들 틈에 끼여, 환자의 감별에는 각별한 신경을 쓰고 있다.

그것은 마치 여관 보이가, 현관으로 들어서는 손님의 옷차림을 훑어보고 그 등급에 맞는 방을 순간적으로 결정하거나 즉석에서 서슴지 않고 거절하는 경우와 흡사한 것이라고나 할까.

이인국 박사의 병원은 두 가지의 전통적인 특징을 가지고 있다. 병원 안이 먼지 하나도 없이 정결하다는 것과 치료비가 여느 병원의 갑절이나 비싸다는 점이다.

그는 새로운 환자의 초진에서는 병에 앞서 우선 그 부담 능력을 감정하는 데서부터 시작한다. 신통치 않다고 느껴지는 경우에는 무슨 핑계를 대든, 그것도 자기가 직접 나서는 것이 아니라 간호원더러 따돌리게 하는 것이다.

그렇게 중환자가 아닌 한 대부분의 경우 예진은 젊은 의사들이 했다. 원장은 다만 기록된 진찰 카드에 따라 환자의 증세에 아울러 경제 정도를 판정하는 최종 진단을 내리면 된다.

상대가 지기나 거물급이 아닌 한 외상이라는 명목은 붙을 수 없었다. 설령 있다 해도 이 양면 진단은 한푼의 미수나 결손도 없게 한, 그의 반생을 통한 의술 생활의 신조요, 비결이었다.

그러기에 그의 고객은 왜정 시대는 주로 일본인이었고, 현재는 권력층이 아니면 재벌의 셈속에 드는 축들이어야만 했다.

그의 일과는 아침에 진찰실에 나오자 손가락 끝으로 창틀이나 탁자 위를 훑어, 무테안경 속 움푹한 눈으로 응시하는 일에서 출발한다.

이 때 손가락 끝에 먼지만 묻으면 불호령이 터지고, 간호원은 하루 종일 원장의 신경질에 부대껴야만 한다.

아무튼 단골 고객들은 그의 정결한 결벽성에 감탄과 경의를 표해 마지않는다.

1·4후퇴시 청진기가 든 손가방 하나를 들고 월남한 이인국 박사다.

그는 수복되자 재빨리 셋방 하나를 얻어 병원을 차렸다. 그러나 이제는 평당 오십만 환을 호가하는 도심지에 타일을 바른 이층 양옥을 소유하게 되었다. 그는 자기 전문의 외과 외에 내과, 소아과, 산부인과 등 개인 병원을 집결시켰다. 운영은 각자의 호주머니 셈속이었지만 종합 병원의 원장 자리는 의젓이 자기가 차지하고 있다.

이인국 박사는 양복 조끼 호주머니에서 십팔금 회중시계를 꺼내어 시간을 보았다.

두 시 사십 분!

미국 대사관 브라운 씨와의 약속 시간은 이십 분밖에 남지 않았다. 이 시계에도 몇 가닥의 유서 깊은 이야기가 숨어 있다. 이인국 박사는 시계를 볼 때마다 참말 '기적' 임에 틀림없었던 사태를 연상하게 된다.

왕진 가방과 함께 38선을 넘어온 피난 유물의 하나인 시계. 가방은 미군 의사에게서 얻은 새 것으로 갈아매어 흔적도 없게 된 지금, 시계는 목숨을 걸고 삶의 도피행을 같이한 유일품이요, 어찌 보면 인생의 반려이기도 한 것이다.

밤에 잘 때에도 그는 시계를 머리맡에 풀어 놓거나 호주머니에 넣은 채로 버려 두지 않는다. 반드시 풀어서 등기 서류, 저금 통장 등이 들어 있는 비상용 캐비닛 속에 넣고야 잠자리에 드는 것이었다. 거기에는 또 그럴 만한 연유가 있었다. 이 시계는 제국 대학을 졸업할 때 받은 영예로운 수상품이다. 뒤쪽에는 자기 이름이 새겨져 있다.

그 후 삼십여 년, 자기 주변의 모든 것은 변하여 갔지만 시계만은 옛모습 그대로다. 주변뿐만 아니라 자기 자신은 얼마나 변한 것인가. 이십 대 홍안을 자랑하던 젊음은 어디로 사라진 것인지 머리카락도 반백이 넘었고 이마의 주름은 깊어만 간다. 일제 시대, 소련군 점령 하의 감옥

생활, 6·25사변, 38선, 미군 부대, 그 동안 몇 차례의 아슬아슬한 죽음의 고비를 넘긴 것이다.

'월삼 십칠 석'

우여곡절 많은 세월 속에서 아직도 제 시간을 유지하는 것만도 신기하다. 시간을 보고는 습성처럼 째각째각 소리에 귀 기울이는 때의 그의 가느다란 눈매에는 흘러간 인생의 축도가 서리는 것이었다. 그 속에서도 각모와 츠메리 학생복을 벗어 버리고 신사복으로 갈아입던 그 날의 감회를 더욱 새롭게 해 주는 충동을 금할 길 없는 것이었다.


이인국 박사는 수술 직전에 서랍에 집어넣었던 편지에 생각이 미쳤다.

미국에 가 있는 딸 나미. 본래의 이름은 일본식의 나미코다. 해방 후 그것이 거슬린다기에 나미로 불렀고 새로 기류계에 올릴 때에는 코자를 완전히 떼어 버렸다.

나미짱! 딸의 모습은 단란하던 지난날의 추억과 더불어 떠올랐다.

온 집안의 재롱둥이였던 나미, 그도 이젠 성숙했다. 그마저 자기 옆에서 떠난 지금, 새로운 정에서 산다고는 하지만, 이인국 박사는 가끔 물밀어 오는 허전한 감을 금할 길 없었다.

아내는 거제도 수용소에 있을 때 죽었고, 아들의 생사는 지금껏 알 길이 없다.

서울에서 다시 만나 후처로 들어온 혜숙. 이십 년의 연령 차에서 오는 세대의 거리감을 그는 억지로 부인해 본다. 그러나 혜숙의 피둥피둥한 탄력과 윤기가 더해 가는 살결에 비해, 자기의 주름잡힌 까칠한 피부는 육체적 위축감마저 느끼게 하는 때가 없지 않았다.

그들 사이에서 난, 돌 지난 어린것, 앞날이 아득한 이 핏덩이만이 지금의 이인국 박사의 곁을 지켜 주는 유일한 피붙이다.

이인국 박사는 기대와 호기에 찬 심정으로 항공 우편의 피봉을 뜯었다.

전번 편지에서 가타부타 단안은 내리지 않고 잘 생각해서 결정하라고 한 그 후의 경과다.

'결국은 그렇게 되고야 마는 건가……'

그는 편지를 탁자 위에 밀어 놓았다. 어쩌면 이러한 결말은 딸의 출국 이전에서부터 이미 싹튼 것인지도 모른다는 생각이 들었다.

대학에서 영문과를 택한 딸, 개인 지도를 하여 준 외인 교수. 스칼라십을 얻어 준 것도 그고, 유학 절차의 재정 보증인을 알선해 준 것도 그가 아닌가, 우연한 일은 아니다.

그러한 시류에 따라 미국 유학을 해야만 한다고 주장한 것은 오히려 아버지인 자기가 아닌가.

동양학을 연구하고 있는 외인 교수. 이왕이면 한국 여성과 결혼했으면 좋겠다던 솔직한 고백에, 자기의 학문을 위한 탁월한 견해라고 무심코 찬의를 표한 것도 자기가 아니던가. 그것도 지금 생각하면 하나의 암시였음이 분명하지 않은가.

이인국 박사는 상아로 된 오존 파이프를 앞니에 힘을 주어 지그시 깨물며 눈을 감았다.

꼭 풀 쑤어, 개 좋은 일을 한 것만 같은 분하고도 허황한 심정이다.

'코쟁이 사위.'

생각만 해도 전신의 피가 역류하는 것 같은 몸서리가 느껴졌다.

'더러운 년 같으니, 기어코……'

그는 큰기침을 내뱉었다.

그의 생각은 왜정 시대 내선일체의 혼인론이 떠돌던 이야기에까지 꼬리를 물었다. 그 때는 그것을 비방하거나 굴욕처럼 느끼지는 않았다. 오히려 당연한 것으로 해석했고 어찌 보면 우월한 것으로 생각하지 않았던가. 그런데 이 경우는…….

그는 딸의 편지 구절을 곱씹었다.

'애정에 국경이 있어요……?'

이것은 벌써 진부하다. 아비도 학창 시절에 그런 풍조는 다 마스터했다. 건방지게, 이제 새삼스레 아비에게 설교조로…… 좀더 솔직하지 못하고…….

그러나 외딸인 지가 그런 국제 결혼의 시금석이 되겠단 말인가.

'아무튼 아버지께서 쉬 한번 오신다니, 최종 결정은 아버지의 의향에 따라 결정할 예정입니다만…….'

그래 아버지가 안 가면 그대로 정하겠단 말인가.

이인국 박사는 일대 잡종의 유전 법칙이 떠오르자 머리를 내저었다. '흰둥이 외손자' 생각만 해도 징그럽다.

그는 내던졌던 사진을 다시 집어들었다.

대학 캠퍼스 같은 석조전의 거대한 건물, 그 앞의 정원, 뒤쪽에 짝을 지어 걸어가는 남녀 학생, 이 배경 속에 딸과 그 외인 교수가 나란히 어깨를 짚고 서서 웃음을 짓고 있다.

'흥, 놀기는 잘들 논다…….'

응, 신음 소리를 치며 그는 자리에서 일어섰다. 아무튼 미스터 브라운을 만나 이왕 가는 길이면 좀더 서둘러야겠다. 그 가장 대우가 좋다는 국무성 초청 케이스의 확정 여부를 빨리 확인해야겠다는 생각이 조바심을 쳤다.

그는 아내 혜숙이 있는 살림방 쪽으로 건너갔다.

"여보, 나미가 기어코 결혼하겠다는구려."

"그래요……?"

아내의 어조에는 별다른 감동이나 의아도 없음을 이인국 박사는 직감

했다.

　그는 가능한 한 혜숙이 앞에서 전실 소생의 애들 이야기를 하는 것을 삼가해 왔다.

　어떻게 보면 나미의 유학을 간접적으로 자극한 것은 가정 분위기의 소치라는 자격지심이 없지 않기도 했다.

　나미는 물론 혜숙이를 단 한 번도 어머니라고 불러 준 일이 없었다.

　혜숙이 또한 나미 앞에서 어머니라고 버젓이 행세한 일도 없었다.

　지난날의 간호원과 오늘의 어머니, 그 사이에는 따져서 표현할 수 없는 미묘한 감정들이 복재되어 있었다.

　"선생님의 일이라면 무엇이든지 돕겠어요."

　서울에서 이인국 박사를 다시 만났을 때, 마음속 그대로 털어놓은 혜숙의 첫 마디였다.

　처음에는 혜숙이도 부인의 별세를 몰랐고, 이인국 박사도 혜숙이의 혼인 여부를 참견하지 않았다.

　혜숙은 곧 대학 병원을 그만두고 이리로 옮겨 왔다.

　나미는 옛정이 다시 살아 혜숙을 언니처럼 따랐다.

　이들의 혼인이 익어갈 때 이인국 박사는 목에 걸리는 딸의 의향을 우선 듣기로 했다.

　딸도 아버지의 외로움을 동정하고 있었다. 자기 자신 아버지의 시중이 힘에 겨웠고 또 그 사이 실지의 아버지 뒤치다꺼리를 혜숙이 해 왔으므로 딸은 즉석에서 진심으로 찬의를 표했다.

　그러나 시간이 흐를수록 혜숙과 나미의 간격은 벌어졌고, 혜숙은 남편과의 정상적인 가정 생활에 나미가 장애물이 되는 것 같은 느낌을 차츰 가지게 되었다.

　혜숙 자신도 처음에는 마음 놓고 이인국 박사를 남편이랍시고 일대

일로 부르진 못했다.

나미의 출발, 그 후 어린애의 해산, 이러한 몇 고개를 넘는 사이에 이제 겨우 아내답게 늠름히 남편을 대할 수 있고, 이인국 박사 또한 제대로의 남편의 체모로 아내에게 농을 걸 수도 있게끔 되었다.

"기어쿠 그 외인 교수하군가 가까워지는 모양인데."

이인국 박사는 아내의 얼굴을 직시하지는 못하고 마치 독백하듯이 뇌까렸다.

"할 수 있어요? 제 좋다는 대로 해야지요."

마치 남의 이야기를 하는 것처럼 이인국 박사에게는 들려왔다.

"글쎄, 하기는 그렇지만……."

그는 입맛만 다시며 더 이상 계속하지 못했다.

잠을 깨어 울고 있는 어린것에게 젖을 물리고 있는 아내의 젊은 육체에 자극을 느끼면서, 이인국 박사는 자기 자신이 죄를 지은 것만 같은 나미에 대한 강박관념을 금할 길이 없었다.

저 어린것이 자라서 아들 원식이나 또 나미 정도의 말상대가 되려도 아직 이십여 년의 세월이 흘러야 한다.

그 때 자기는 칠십이 넘는 할아버지다.

현대 의학이 인간의 평균 수명을 연장하고, 암 같은 고질이 아닌 한 불의의 죽음은 없다 하지만, 자기 자신이 의사이면서 스스로의 생명 하나를 보장할 수는 없다.

'마누라도 눈앞에서 나는 새 놓치듯이 죽이지 않았던가. 아무리 해도 저놈이 대학을 나올 때까지는 살아야 한다. 아무렴, 때가 때인만큼 미국 유학까지는 내 생전에 시켜 주어야지.'

하기야 그런 의미에서도 일찌감치 미국 혼반을 맺어 두는 것도 그리 해로울 건 없지 않나. 아무렴, 우리보다는 낮게 사는 사람들인데. 좀 남

보기 체면이 안 서서 그렇지.

그는 자위인지 체념인지 모를 푸념을 곱씹었다.

"여보, 저걸 좀 꾸려요."

이인국 박사의 말씨는 점잖게 가라앉았다.

"뭐 말이에요?"

아내는 젖꼭지를 물린 채 고개만을 돌려 되묻는다.

"저, 병 말이오."

그는 화장대 위에 놓은 골동품을 가리켰다.

"어디 가져가셔요?"

"저 미 대사관 브라운 씨 말이야. 늘 신세만 졌는데……."

아내가 꼼꼼히 싸 놓은 포장물을 들고 이인국 박사는 천천히 현관을 나섰다.

벌써 석간 신문이 배달되었다.


아무리 생각해도 그것은 분명 기적임에 틀림없는 일이었다. 간헐적으로 반복되어 공포와 감격을 함께 휘몰아치는 착잡한 추억. 늘 어제 일마냥 생생하기만 하다.

1945년 8월 하순.

아직 해방의 감격이 온 누리를 뒤덮어 소용돌이칠 때였다.

말복도 지난 날씨언만 여전히 무더웠다. 이인국 박사는 이 며칠 동안 불안과 초조에 휘몰려 잠도 제대로 자지 못했다. 무엇인가 닥쳐올 사태를 오돌오돌 떨면서 대기하는 상태였다.

그렇게 붐비던 환자도 하나 얼씬하지 않고 쉴 사이 없던 전화도 뜸하여졌다. 입원실은 최후의 복막염 환자였던, 도청의 일본인 과장이 끌려간 후 텅 비었다.

조수와 약제사는 궁금증이 나서 고향에 다녀오겠다고 떠나갔고, 서울 태생인 간호원 혜숙이만이 남아 빈 집 같은 병원을 지키고 있었다.

이층 십조 다다미 방에 훈도시와 유카다 바람에 뒹굴고 있던 이인국 박사는 견디다 못해 부채를 내던지고 일어났다.

그는 목욕탕으로 갔다. 찬물을 퍼서 대야째로 머리에서부터 몇 번이고 내리부었다. 등줄기가 시리고 몸이 가벼워졌다.

그러나 수건으로 몸을 닦으면서도 무엇엔가 짓눌려 있는 것 같은 가슴속의 갑갑증을 가셔 낼 수가 없었다.

그는 창문으로 기웃이 한길가를 내려다보았다. 우글거리는 군중들은 아직도 소음 속으로 밀려가고 있다.

굳게 닫혀 있는 은행 철문에 붙은 벽보가 한길을 건너, 하얀 윤곽만이 두드러져 보인다.

아니, 그 곳에 씌어 있는 구절.

'친일파, 민족 반역자를 타도하자.'

옆에 붉은 동그라미를 두 겹으로 친 글자가 그대로 눈앞에 선명하게 보이는 것만 같다.

어제 저물녘에 그것을 처음 보았을 때의 전율이 되살아 왔다.

순간 이인국 박사는 방 쪽으로 머리를 휙 돌렸다.

'나야 원 괜찮겠지…….'

혼자 뇌까리면서 그는 다시 부채를 들었다. 그러나 벽보를 들여다보고 있을 때, 자기와 눈이 마주치는 순간, 일그러지는 얼굴에 경멸인지 통쾌인지 모를 웃음을 비죽거리면서 아래위로 훑어보던 그 춘석이 녀석의 모습이 자꾸만 머릿속으로 엄습하여 어두운 밤에 거미줄을 뒤집어쓴 것처럼 꺼림칙하기만 했다.

그깟놈 하고 머리에서 씻어 버리려도 거머리처럼 자꾸만 감아붙는 것만 같았다.

벌써 육 개월 전의 일이다.

형무소에서 병보석으로 가출옥되었다는 중환자가 업혀서 왔다.

휑뎅그런 눈에 앙상하게 뼈만 남은 몸을 제대로 가누지도 못하는 환자, 그는 간호원의 부축으로 겨우 진찰을 받았다.

청진기의 상아꼭지를 환자의 가슴에서 등으로 옮겨 두 줄기의 고무줄에서 감득되는 숨소리를 감별하면서도, 이인국 박사의 머릿속은 최후 판정의 분기점을 방황하고 있었다.

입원시킬 것인가 거절할 것인가…….

환자의 몰골이나 업고 온 사람의 옷 매무시로 보아 경제 정도는 뻔한 일이라 생각되었다.

그러나 그것보다도 더 마음에 켕기는 것이 있었다. 일본인 간부급들이 자기 집처럼 들락날락하는 이 병원에 이런 사상범을 입원시킨다는 것은, 관선 시의원이라는 체면에서도 떳떳치 못할뿐더러, 자타가 공인하는 모범적인 황국 신민의 공든 탑이 하루아침에 무너지는 결과를 가져오는 것이라는 생각이 들었다.

순간 그는 이런 경우의 가부 결정에 일도양단하는 자기식으로 찰나적인 단안을 내렸다.

그는 응급 치료만 하여 주고, 입원실이 없다는 가장 떳떳하고도 정당한 구실로 애걸하는 환자를 돌려보냈다.

환자의 집이 병원에서 멀지 않은 건너편 골목 안에 있다는 것은 후에 간호원에게서 들었다. 그러나 그쯤은 예사로운 일이었기에 그는 그대로 아무렇지도 않게 흘려 버렸다.

그런데 며칠 전, 시민 대회 끝에 있은 해방 경축 시가행진을 자기도 흥분에 차 구경하느라고 혜숙이와 함께 대문 앞에 나갔다가, 자위대 완장을 두르고 대열에 끼인 젊은이와 눈이 마주쳤다.

이쪽을 노려보는 청년의 눈에서 불똥이 튀는 것 같은 살기를 느꼈다.

무슨 영문인지 모르고 어리벙벙하던 이인국 박사는, 그것이 언젠가 입원을 거절당한 사상범 환자 춘석이라는 것을 혜숙에게서 듣고야 슬금슬금 주위의 눈치를 살피며 집으로 기어 들어왔다.

그 후 그는 될 수 있는 대로 거리로 나가는 것을 피하였지마는 공교롭게도 어제저녁에 그 벽보 앞에서 마주쳤었다.


갑자기 밖이 왁자지껄 떠들어 대었다. 머리에 깍지를 끼고 비스듬히 누워서 갈피를 잡을 수 없는 생각에 골똘하던 이인국 박사는 일어나 앉아 한길 쪽에 귀를 기울였다. 들끓는 소리는 더 커 갔다. 궁금증에 견디다 못해 엉거주춤 꾸부린 자세로 밖을 내다보았다. 포도에 뒤끓는 사람들은 손에 손에 태극기와 적기를 들고 환성을 올리고 있었다.

'무엇일까?'

그는 고개를 갸웃하며 다시 자리에 주저앉았다.

계단을 구르며 급히 올라오는 발자국 소리가 들려왔다.

혜숙이다.

"아마 소련군이 들어오나 봐요, 모두들 야단법석이에요……."

숨을 헐레벌떡이며 이야기하는 혜숙이의 말에 이인국 박사는 아무 대꾸도 없이 눈만 껌벅이며 도로 앉았다. 여러 날째 라디오에서 오늘 입성 예정이라고 했으니 인제 정말 오는가 보다 싶었다.

혜숙이 내려간 뒤에도 이인국 박사는 한참 동안 아무 거동도 못하고 바깥 쪽을 내다보고만 있었다.

무엇을 생각했던지 그는 움찔 자리에서 일어났다. 그리고는 벽장문을 열었다. 안쪽에 손을 뻗쳐 액자 틀을 끄집어내었다.

'국어상용의 가'

해방되던 날 떼어서 집어넣어 둔 것을 그 동안 깜박 잊고 있었다.

그는 액자의 뒤를 열어 음식점 면허장 같은 두꺼운 모조지를 빼내어, 글자 한 자도 제대로 남지 않게 손끝에 힘을 주어 꼼꼼히 찢었다.

이 종잇장 하나만 해도 일본인과의 교제에 있어서 얼마나 떳떳한 구실을 할 수 있었던 것인가. 야릇한 미련 같은 것이 섬광처럼 머릿속을 스쳐 갔다.

환자도 일본 말을 모르는 축은 거의 오는 일이 없었지만, 대외 관계는 물론 집안에서도 일체 일본 말만을 써 왔다. 해방 뒤 부득이 써 오는 제 나라 말이 오히려 의사 표현에 어색함을 느낄 만큼 그에게는 거리가 먼 것이었다. 마누라의 솔선수범하는 내조지공도 컸지만, 애들까지도 곧잘 지켜 주었기에 이 종잇장을 탄 것이 아니던가. 그것을 탄 날은 온 집안이 무슨 큰 경사나 난 것처럼 기뻐들 했었다.

'잠꼬대까지 국어로 할 정도가 아니면, 이 영예로운 기회야 얻을 수 있겠소.' 하던 국민총력연맹 지부장의 웃음 띤 치하 소리가 떠올랐다.

그 순간 자기 자신은, 아이들을 소학교로부터 일본 학교에 보낸 것을 얼마나 다행으로 여겼던 것인가.

그는 후 한숨을 내뿜었다. 그리고는 저금 통장의 잔액을 깡그리 내주던 은행 지점장의 호의에 새삼 고마움을 느끼는 것이었다.

그것마저 없었더라면…… 등골에 오싹하는 한기가 느껴 왔다.

무슨 정치가 오든 그것만 있으면, 시내 사람의 절반 이상이 굶어죽기 전에야 우리 집 차례는 아니겠지. 그는 손금고가 들어 있는 안방 단스를 생각하면서 혼자 중얼거렸다.

이인국 박사는 무슨 일이 일어나도 꼭 자기만은 살아남을 것 같은 막연한 기대를 곱씹고 있다.

주위가 어두워 왔다.

지축이 흔들리는 것 같은 동요와 소음이 가까워졌다. 군중들의 환호성이 터져나왔다. 만세 소리가 연방 계속되었다.

세상 형편을 알아보려고 거리에 나갔던 아내가 돌아왔다.

"여보 당꾸(탱크) 부대가 들어왔어요. 거리는 온통 사람들 사태가 났는데 집 안에 처박혀 뭘 하구 있어요……."

"뭘 하기는?"

"나가 보아요, 마우재가 들어왔어요……."

어둠 속에서 아내의 음성은 격했으나 감격인지 당황인지 알 길이 없었다.

'계집이란 저렇게 우둔하구두 대담한 것일까…….'

이인국 박사는 엷은 어둠 속에서 마누라 쪽을 주시하면서 입맛을 다셨다.

"불두 엽때 안 켜구."

마누라가 전등 스위치를 틀었다. 이인국 박사는 백촉 전등이 너무 환한 것이 못마땅했다.

"불은 왜 켜는 거요?"

"그럼 켜지 않구, 캄캄한데…… 자, 어서 나가 봅시다."

마누라의 이끄는 데 따라, 이인국 박사는 마지못하면서 시침을 떼고 따라나섰다.

헤드라이트의 눈부신 광선. 탱크 부대의 진주는 끝을 알 수 없이 계속되고 있다.

이인국 박사는 부신 불빛을 피하면서 가로수에 기대어 섰다. 박수와 환호성, 만세 소리가 그칠 줄 모르는 양안을 끼고, 탱크는 물밀듯 서서히 흘러간다. 위 뚜껑을 열고 반신을 내민 중대가리의 병정은 간간이

'우라아' 하면서 손을 내흔들고 있다.

이인국 박사는 자기와는 아무 관련도 없는 이방 부대라는 환각을 느끼면서, 박수도 환성도 안 나가는 멋쩍은 속에서 멍하니 쳐다보고만 있다. 그는 자기의 거동을 주시하지나 않나 해서 주위를 두리번거렸다.

그러나 아무도 그에게는 관심을 두는 일 없이, 탱크를 향하여 목청이 터지도록 거듭 만세만 부르고 있지 않은가.

'어떻게 되겠지……'

그는 밑도 끝도 없는 한 마디를 뇌면서 유유히 집으로 들어왔다.

민요 뒤에 계속되던 행진곡이 그치고 주둔군 사령관의 포고문이 방송되고 있다.

이인국 박사는 라디오 앞에 다가앉아 귀를 기울였다.

시민의 생명 재산은 절대 보장한다. 각자는 안심하고 자기의 직장을 수호하라. 총기, 일본도 등 일체의 무기 소지는 금하니 즉시 반납하라는 등의 요지였다.

그는 문득 단스 속에 넣어 둔 엽총에 생각이 미치었다. 그러면 저것도 바치어야 하는 것일까. 영국제 쌍발, 손때 묻은 애완물같이 느껴져 누구에게 단 한 번도 빌려 주지 않았던 최신형 특제품이었다.

이인국 박사는 다이얼을 돌렸다. 대체 서울에서는 어떻게들 하고 있는 것일까.

거기도 마찬가지다. 민요가 아니면 행진곡이 나오고 그러다가는 전국 준비위원회 누구인가의 연설이 계속된다.

대체 앞으로 어떻게 될 것인가 궁금증을 해결할 방법이 없다.

해방 직후 이삼 일 동안은, 자기도 태연하였지만, 번지르르하게 드나들던 몇몇 친구들도 소련군 입성이 보도된 이후부터는 거의 나타나질 않는다. 그렇다고 자기 자신이 뛰어다니며 물을 경황은 더욱 없다.

　밤이 이슥해서야 중학교와 초등학교를 다니는 아들딸이 굉장한 구경이나 한 것처럼 탱크와 로스케의 이야기를 늘어놓으며 돌아왔다. 그들은 아버지의 심중은 아랑곳없다는 듯이 어머니, 혜숙이와 함께 저희들 이야기에만 꽃을 피우고 있었다.

　이인국 박사는 슬그머니 일어나 이층으로 올라와 다다미 방에서 혼자 뒹굴었다.

　앞일은 대체 어떻게 전개될 것인지, 뛰어넘을 수가 없는 큰 바다가 가로놓인 것만 같았다. 풀어낼 수 있는 실마리가 전연 더듬어지지 않는 뒤헝클어진 상념 속에서, 그대로 이인국 박사는 꺼지려는 짚불을 불어 일으키는 심정으로 막연한 한 가닥의 기대만을 끝내 포기하지 않은 채 천장을 멍청히 쳐다보고만 있었다.

　지난 일에 대한 뉘우침이나 가책 같은 건 아예 있을 수 없었다.

자동차 속에서 이인국 박사는 들고 나온 석간을 펼쳤다.

일면의 제목을 대강 훑고 난 그는 신문을 뒤집어 꺾어 삼면으로 눈을 옮겼다.

'북한 소련유학생 서독으로 탈출.'

바둑돌 같은 굵은 활자의 제목. 왼편 전단을 차지한 외신 기사. 손바닥만한 사진까지 곁들여 있다.

그는 코허리에 내려온 안경을 올리면서 눈을 부릅떴다.

그의 시각은 활자 속을 헤치고 머릿속에는 아들의 환상이 뒤엉켜 들이차 왔다. 아들을 모스크바로 유학시킨 것은 자기의 억지에서였던 것만 같았다.

출신 계급, 성분, 어디 하나나 부합될 조건이 있었단 말인가. 고급 중학을 졸업하고 의과 대학에 입학된 바로 그 해다.

이인국 박사는 그 때나 지금이나 자기의 처세 방법에 대하여 절대적인 자신을 가지고 있다.

"애, 너 그 노어 공부를 열심히 해라."

"왜요?"

아들은 갑자기 튀어나오는 아버지의 말에 의아를 느끼면서 반문했다.

"야, 원식아, 별수 없다. 왜정 때는 그래도 일본말이 출세를 하게 했고 이제는 노어가 또 판을 치지 않니. 고기가 물을 떠나서 살 수 없는 바에야, 그 물속에서 살 방도를 궁리해야지. 아무튼 그 노서아 말 꾸준히 해라."

아들은 아버지 말에 새삼스러이 자극을 받는 것 같진 않았다.

"내 나이로도 인제 이만큼 뜨내기 회화쯤은 할 수 있는데, 새파란 너희 나쎄로야 그걸 못하겠니."

"염려 마세요, 아버지……."

아들의 대답이 그에게는 믿음직스럽게 여겨졌다.

이인국 박사는 심각한 표정으로 말을 이었다.

"어디 코 큰 놈이라구 별것이겠니, 말 잘해서 진정이 통하기만 하면 그것들두 다 그렇지……."

이인국 박사는 끝내 스텐코프 소좌의 배경으로 요직에 있는 당 간부의 추천을 받아 아들의 소련 유학을 결정짓고야 말았다.

"여보, 보통으로 삽시다. 그저 표나지 않게 사는 것이 이런 세상에선 가장 편안할 것 같아요. 이제 겨우 죽을 고비를 면했는데 또 재까지 그 '높이 드는' 복판에 휘몰아 넣으면 어쩔라구……."

"가만 있어요, 호랑이두 굴에 가야 잡는 법이오. 무슨 세상이 되든 할 대로 해 봅시다."

"그래도 저 어린것을 어떻게 노서아까지 보낸단 말이오."

"아니, 중학교 애들도 가지 못해 골들을 싸매는데, 대학생이 못 가 견딜라구."

"그래도 어디 앞일을 알겠소……."

"괜한 소리, 쟤가 소련 바람을 쏘이구 와야, 내게 허튼 소리 하는 놈들도 찍소리를 못할 거요. 어디 보란 듯이 다시 한 번 살아 봅시다."

아들의 출발을 앞두고, 걱정하는 마누라를 우격다짐으로 무마시키고 그는 아들 유학을 관철하였다.

'흥, 혁명 유가족도 가기 힘든 구멍을 친일파 이인국의 아들이 뚫었으니 어디 두구 보자…….'

그는 만장의 기염을 토하며 혼자 중얼거리고는 희망에 찬 미소를 풍겼다.

그 다음 해에 사변이 터졌다.

잘 있노라는 서신이 계속하여 왔지만, 동란 후 후퇴할 때까지 소식은 두절된 대로였다.

마누라의 죽음은 외아들을 사지로 보낸 것 같은 수심에도 그 원인이 있었다고 그는 생각하고 있다.

이인국 박사는 신문 다찌기리 속에 채워진 글자를 하나도 빼지 않고 다 훑어 내려갔다.

그러나 아들의 이름에 연관되는 사연은 한 마디도 없었다.

'이 자식은 무얼 꾸물꾸물하느라고 이런 축에도 끼지 못한담……. 사태를 판별하고 임기응변의 선수를 쓸 줄 알아야지, 맹추같이…….'

그는 신문을 포개어 되는대로 말아 쥐었다.

'개천에서 용마가 난다는데 이건 제 애비만도 못한 자식이야.'

그는 혀를 찍찍 갈겼다.

'어쩌면 가족이 월남한 것조차 모르고 주저하고 있는 것이나 아닐까.

아니, 이제는 그쪽에도 소식이 가서 제게도 무언중의 압력이 퍼져 갈 터인데……. 역시 고지식한 놈이 아무래도 모자라…….'

그는 자동차에서 내리자 건 가래침을 내뱉었다.

'독또오루 리, 내가 책임지고 보장하겠소. 아들을 우리 조국 소련에 유학시키시오.'

스텐코프의 목소리가 고막에 와 부딪는 것만 같았다.

자위대가 치안대로 바뀐 다음 날이다. 이인국 박사는 치안대에 연행되었다.

시멘트 바닥에 무릎을 꿇고 앉은 그는 입술이 파랗게 질려 있었다. 하반신이 저려 오고 옆구리가 쑤신다. 이것만으로도 자기의 생애를 통한 가장 큰 고역이라고 그는 생각하고 있다. 그러나 그것보다는 앞으로 닥쳐올 예기할 수 없는 사태가 공포 속에 그를 휘몰았다.

지나가고 지나오는 구둣발 소리와 목덜미에 퍼부어지는 욕설을 들으면서 꺾이듯이 축 늘어진 그의 머리는 들릴 줄을 몰랐다.

시간만이 흘러가고 있었다.

그의 머릿속에는 짓눌렸던 생각들이 하나씩 꼬리를 치켜들기 시작했다.

'이럴 줄 알았더면 어디든지 가 숨거나, 진작 남으로라도 도피했을 걸……. 그러나 이 판국에 나를 감싸 줄 사람이 어디 있담. 의지할 만한 곳은, 다 나와 같이 코스를 밟았거나 조만간에 밟을 사람들이 아닌가. 일본인! 가장 믿었던 성벽이 다 무너지고 난 지금 누구를……. 그래도 어떻게 되겠지…….'

이 막연한 기대는 절박한 이 순간에도 그에게서 완전히 떠나 버리지는 않았다.

'다행이다. 인민재판의 첫 코에 걸리지 않은 것만 해도. 끌려간 사람들의 행방은 전연 알 길이 없다. 즉결 처형을 당하였다는 소문도 떠돈다. 사흘의 여유만 더 있었더라면 나는 이미 이 곳을 떴을는지도 모른다. 다 운명이다. 아니, 그래도 무슨 수가 있겠지…….'

"쪽발이 끄나풀, 야, 이 새끼야."

고함 소리에 놀라 이인국 박사는 흠칫 머리를 들었다.

때도 묻지 않은 일본 병사 군복에 완장을 찬 젊은이가 쏘아보고 있다. 춘석이다.

이인국 박사는 다시 쳐다볼 힘도 없었다. 모든 사태는 짐작되었다.

이제는 죽는구나, 그는 입 속으로 뇌까렸다.

"왜놈의 밑바시, 이 개새끼야."

일본 군용화가 그의 옆구리를 들이찬다.

"이 새끼, 어디 죽어 봐라."

구둣발은 앞뒤를 가리지 않고 전신을 내지른다.

등골 척수에 다급한 충격을 받자, 이인국 박사는 비명을 지르고 꼬꾸라졌다.

그는 현기증을 일으켰다. 어깻죽지를 끌어 바로 앉혀도 몸을 가누지 못하고 한쪽으로 쓰러졌다.

"민족과 조국을 팔아먹은 이 개돼지 같은 놈아, 너는 총살이야, 총살……."

어렴풋이 꿈 속에서처럼 들려왔다. 그러나 그에게는 그 말도 아무런 반향을 일으키지 못했다.

시간이 얼마나 흘렀을까, 자기 앞자락에서 부스럭거리는 감촉과 금속성의 부닥거리는 소리를 듣고 어렴풋이 정신을 차렸다.

노란 털이 엉성한 손목의 시계줄을 끄르고 있다. 그는 반사적으로 앞자락의 시계 주머니를 부둥켜 쥐면서 손의 임자를 힐끔 쳐다보았다. 눈동자가 파란 중대가리 소련 병사가 시계줄을 거머쥔 채 이빨을 드러내고 히죽이 웃고 있다.

그는 두 손으로 있는 힘을 다해 양복 주머니를 감싸 쥐었다.

"흥…… 야뽄스끼……."

병사의 눈동자는 점점 노기를 띠어 갔다.

"아니, 이것만은!"

그들의 대화는 서로 통하지 않는 대로, 손아귀와 눈동자의 대결은 그대로 지속되고 있다.

병사는 됫박만한 손으로 이인국 박사의 손을 뿌리치면서 시계를 채어 냈다.

시계줄은 끊어져 고리가 달린 끝머리가 이인국 박사의 손가락 끝에서 달랑거렸다.

병사는 밖으로 나가 버렸다.

'죽음과 시계…….'

이인국 박사는 토막난 푸념을 되풀이하고 있다.

양쪽 팔목에 팔뚝시계를 둘씩이나 차고도 만족이 안 가, 자기의 회중 시계까지 앗아 가는 그 병정의 모습을 머릿속에 똑똑히 새겨 갈 뿐이다.


감방 속은 빼곡이 찼다.

그러나 고참자와 신입자의 서열은 분명했다. 달포가 지나는 사이에 맨 안쪽 똥통 위에 자리잡았던 이인국 박사는 삼분지 이의 지점으로 점차 승격되었다.

그는 하루 종일 말이 없었다. 범인 속에 섞여 있던 감방 밀정이 출감된 다음 날부터는, 불평만을 늘어놓던 축들이 불려 나가 반송장이 되어 들어왔지만, 또 하루 이틀이 지나자 감방 속의 분위기는 여전히 불평과 음식 이야기로 소일되었다.

이인국 박사는 자기의 죄상이라는 것을 폭로하기도 싫었지만, 예전에 고등계 형사들에게서 실컷 얻어 들은 지식이 약이 되어, 함구령이 지상 명령이라는 신념을 일관하고 있었다.

그는 간밤에 출감한 학생이 내던지고 간 노어 회화책을 첫장부터 곰곰이 뒤지고 있을 뿐이다.

등골이 쏘고 옆구리가 결려 온다. 이것으로 고질이 되는가 하는 생각이 없지 않다. 아침저녁으로 기온이 사뭇 내려가고 있다. 아무리 체념한다면서도 초조감을 막을 길 없다.

노어책을 읽으면서도 그의 청각은 늘 감방 속의 이야기를 놓치지 않고 있다. 그들이 예측하는 식대로의 중형으로 치른다면 자기의 죄상은 너무도 어마어마하다.

양곡조합의 쌀을 몰래 팔아먹은 것이 7년, 양민을 강제로 보국대에 동원했다는 것이 10년, 감정적인 즉결이 아니라 법에 의한 처단이라고 내대지만, 이 난리 판국에 법이고 뭣이고 있을까, 마음에만 거슬리면 총살일 판인데……

'친일파, 민족 반역자, 반일 투사 치료 거부, 일제의 간첩 행위……'

이건 너무도 어마어마한 죄상이다. 취조할 때 나열하던 그대로 한다면 고작해야 무기 징역, 사형감일지도 모른다.

그는 방 안을 둘러보며 후 큰 숨을 내쉬었다.

처마 밑에 바싹 달라붙은 환기창에서 들이비치던 손수건만한 햇살이, 참대자처럼 길어졌다가 실오리만큼 가늘게 떨리며 사라졌다. 그 창살을 거쳐 아득히 보이는 가을 하늘이, 잊었던 지난 일을 한덩어리로 얽어 휘몰아오곤 했다. 가슴이 찌릿했다.

밖의 세계와는 영원한 단절이다.

그는 눈을 감았다. 마누라, 아들, 딸, 혜숙이, 누구누구…… 그러다가 외과계의 원로 이인국 박사에 이르자, 목구멍이 타는 것같이 꽉 막혔다.

그는 헛기침을 하고 침을 삼켰다.

'그럼, 어쩐단 말이야, 식민지 백성이 별수 있었어? 날구 뛴들 소용이 있었느냐 말이야. 어느 놈은 일본 놈한테 아첨을 안했어? 주는 떡을 안 먹은 놈이 바보지. 흥, 다 그놈이 그놈이었지.'

이인국 박사는 자기 변명을 합리화시키고 나면 가슴이 좀 후련해 왔다.

거기다 어저께의 최종 취조 장면에서 얻은, 소련 고문관의 표정은 그에게 일루의 희망을 던져 주는 것이 있었다. 물론 그것이 억지의 자위일지도 모른다고 생각되었지만.

아마 스텐코프 소좌라고 했지. 그 혹부리 장교, 직업이 의사라고 했을 때, 똑또오루 똑또오루 하고 고개를 기웃거리던 순간의 표정. 그것이 무슨 기적의 예시 같기만 했다.

이인국 박사는 신음 소리에 놀라 눈을 떴다.

복도에 켜 있는 엷은 전등 불빛이 쇠창살을 거쳐 방 안에 줄무늬를 놓으며 비쳐 들어왔다. 그는 환기창 쪽을 올려다보았다. 아직도 동도 트지 않은 깜깜한 밤이다.

생똥 냄새가 코를 찌른다. 바짓가랑이 한쪽이 축축하다. 만져본 손을 코에 갖다 댔다.

구역질이 난다. 역시 똥 냄새다.

옆에 누운 청년의 앓는 소리는 계속되고 있다. 찬찬히 눈여겨보았다. 청년 궁둥이도 젖어 있다.

'설산가 부다.'

그는 창살문을 흔들며 교화 소원을 고함쳐 불렀다.

"뭐야."

자다가 깬 듯한 흐린 소리가 들려왔다.

"환자가…… 이거, 이거 봐요."

창살 사이로 들여다보이는 소원의 얼굴은, 역광 속에서 챙 붙은 모자 밑의 둥그스름한 윤곽밖에 알려지지 않는다.

이인국 박사는 청년의 궁둥이께를 손가락으로 가리키며 들여다보고 있다.

"이거, 피로군, 피야."

그는 그제서야 붉은빛을 발견하곤 놀란 소리를 질렀다.

"적리야, 이질……."

그는 직업 의식에서 떠오르는 대로 큰 소리를 질렀다.

"뭐, 적리?"

바깥 소리는 확실히 납득이 안 간 음성이다.

"피똥 쌌소. 피똥을…… 이것 봐요."

그는 언성을 더욱 높였다.

"응, 피똥……."

아우성 소리에 감방 안의 사람들은 하나 둘 눈을 뜨며 저마다 놀란 소리를 쳤다.

"적리, 이거 전염병이요, 전염병."

"뭐, 전염병……."

그제서야 교화 소원이 문을 열고 들어왔다.

얼마 후 환자는 격리되었고 남은 사람들은 똥을 닦느라고 한참 법석을 치고 다시 잠을 불러일으키질 못했다.

이튿날, 미결감 다른 감방에서 또 같은 증세의 환자가 두셋 발생했다.

날이 갈수록 환자는 늘기만 했다.

이 판국에 병만 나면 열의 아홉은 죽는 길밖에 없다고 생각한 이인국 박사는 새로운 위협에 사로잡히기 시작했다.

저녁 후 이인국 박사는 고문관실로 불려 나갔다.

"동무는 당분간 환자의 응급 치료실에서 일하시오."

이게 무슨 청천벽력 같은 기적일까, 그는 통역의 말을 의심했다.

소련 장교와 통역관을 번갈아 쳐다보는 그의 눈동자는 생기를 띠어 갔다.

"알겠소? 엥⋯⋯."

"네."

다짐에 따라 이인국 박사는 기쁨을 억지로 감추며 평범한 어조로 대답했다.

'글쎄, 하늘이 무너져도 솟아날 구멍은 있다니까.'

그는 아무 표정도 나타내지 않으려고 이를 악물었다.


죽어 넘어진 송장이 개 치우듯 꾸려져 나가는 것을 보고 이인국 박사는 꼭 자기 일같이만 느껴졌다.

'의사, 이것이 나의 천직이다.'

그는 몇 번이고 감격에 차 중얼거렸다. 그는 있는 힘을 다해 자기 담당의 환자를 치료했다.

이러한 일은 그의 실력이 혹부리 고문관의 유다른 관심을 끌게 한 계기를 만들어 주었다.

사상범을 옥사시키는 경우는 책임자에게 큰 문책이 온다는 것은 훨씬 후에야 그가 안 일이다.

소련 군의관에게 기술이 인정된 이인국 박사는 계속 병원에 근무하게 되었다. 그러나 죄상 처벌의 결말에 대하여는 알 길이 없었다.

그는 이 절호의 기회를 최대한으로 활용하고 싶었다. 이제는 죽어도 한이 없을 것만 같았다.

어떻게 하여 이 보이지 않는 구속에서까지 완전히 벗어날 수는 없을까.

그는 환자의 치료를 하면서도 늘 스텐코프의 왼쪽 뺨에 붙은 오리알만한 혹을 생각하고 있었다.

불구라면 불구로 볼 수 있는 그 혹을 가지고 고급 장교에까지 승진했다는 것은, 소위 말하는 당성이 강하거나, 그렇지 않으면 전공이 특별했음에 틀림없다는 생각이 들었다.

그것 하나만 물고 늘어지면, 무엇인가 완전히 살아날 틈바귀가 생길 것만 같았다.

이인국 박사의 뜨내기 노어도 가끔 순시하는 스텐코프와 인사말을 주고받을 수 있을 정도로 진전되었다.

이 안에서의 모든 독서는 금지되었지만 노어 교본과 당사만은 허용되었다.

이인국 박사는 마치 생명의 열쇠나 되는 듯이 초보 노어책을 거의 암송하다시피 했다.

크리스마스를 전후하여 장교들의 주연이 베풀어지는 기회가 거듭되었다.

얼근히 주기를 띤 스텐코프가 순시를 돌았다.

이인국 박사는 오늘의 이 기회를 놓치지 않겠다고 마음먹었다.

수일 전, 소련군 장교 한 사람이 급성 맹장염이 터져 복막염으로 번졌다.

그 환자의 실을 뽑는 옆에 온 스텐코프에게, 이인국 박사는 말 절반

손짓 절반으로 혹을 수술하겠다는 의사를 표명했다.

스텐코프는 하라쇼를 연발했다.

그 후, 몇 번 통역을 사이에 두고 수술 계획에 대한 자세한 의사를 진술할 기회가 생겼다.

이인국 박사는 일본인 시장의 혹을 수술하던 일을 회상하면서 자신 있는 설복을 했다.

'동경 경응 대학 병원에서도 못하겠다는 것을 내가 거뜬히 해치우지 않았던가.'

그는 혼자 머릿속에서 자문자답하면서 이번 일에 도박 같은 심정으로 생명을 걸었다.

소련 군의관을 입회시키고 몇 차례의 예비 진단이 치러졌다.

수술일은 왔다.

이인국 박사는 손에 익은 자기 병원의 의료 기재를 전부 운반하여 오게 했다.

군의관 세 사람이 보조하기로 했지만 집도는 이인국 박사 자신이 했다. 야전 병원의 젊은 군의관들이란 그에게 있어선 한갓 풋내기로밖에 보이지 않았다.

그는 수술을 진행하는 동안 그들 군의관들을 자기 집 조수 부리듯 했다. 집도 이후의 수술대는 완전히 자기 전단 하의 왕국이라고 생각되었다.

그러나 아까 수술 직전에 사인한, 실패되는 경우에는 총살에 처한다는 서약서가 통일된 정신을 순간순간 흐려 놓곤 한다.

수술대에 누운 스텐코프의 침착하면서도 긴장에 찼던 얼굴, 그것도 전신 마취가 끝난 후 삼 분이 못 갔다.

간호사는 거즈로 이인국 박사의 이마에 내맺힌 땀방울을 연방 찍어

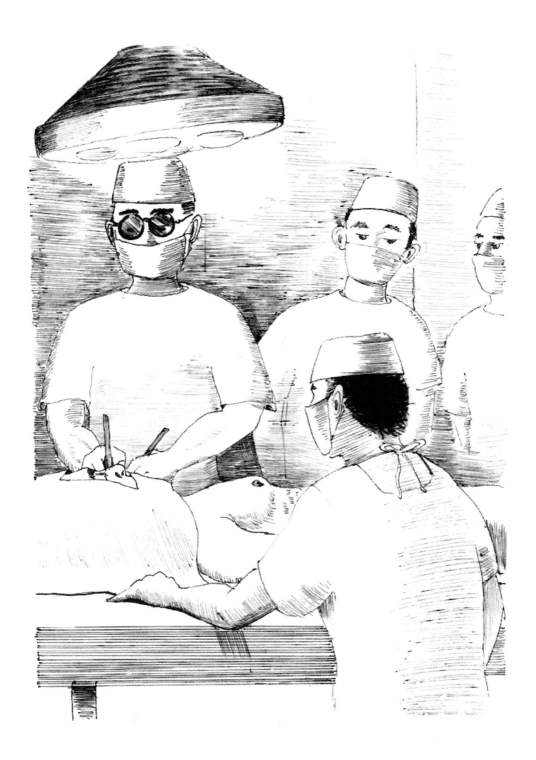

내고 있다.

기구가 부딪는 금속성과 서로의 숨소리만이, 고촉의 반사등이 내리비치는 방 안의 질식할 것 같은 침묵을 헤살짓고 있다.

수술은 예상 이상의 단시간으로 끝났다.

위생복을 벗은 이인국 박사의 전신은 땀으로 흠뻑 젖었다.

완치되어 퇴원하는 날, 스텐코프는 이인국 박사의 손을 부서져라 쥐면서 외쳤다.

"꺼삐딴 리, 스바씨보."

이인국 박사는 입을 헤벌리고 웃기만 했다. 마음의 감옥에서 해방된 것만 같았다.

"아진, 아진…… 오첸 하라쇼."

스텐코프는 엄지손가락을 높이 들면서, 네가 첫째라는 듯이 이인국 박사의 어깨를 치며 찬양했다.

다음 날, 스텐코프는 이인국 박사를 자기 방으로 불렀다.

그가 이인국 박사에게 스스로 손을 내밀어 예절적인 악수를 청한 것은 이것이 처음이었다.

'적과 적이 맞부딪치면서 이렇게 백팔십도로 전환될 수가 있을까, 노랑 대가리도 역시 본심에서는 하나의 인간임에는 틀림없는 것이 아닌가.'

"내일부터는 집에서 통근해도 좋소."

이인국 박사는 막혔던 둑이 터지는 것 같은 큰 숨을 삼켜 가면서 내쉬었다.

이번에는 이인국 박사가 스텐코프의 손을 잡았다.

"스바씨보, 스바씨보."

"혹 나한테 무슨 부탁이 없소?"

이인국 박사는 문득 시계가 머리에 떠올랐다.

그러면서도 곧 이어 이 마당에 그런 이야기를 꺼낸다는 것은 오히려 꾀죄죄하게 보이지 않을까 하는 생각이 뒤따랐다. 그러나 아무래도 그 미련이 가셔지지 않았다.

이인국 박사는 비록 찾지 못하는 경우가 있더라도 솔직히 심중을 털어놓으리라고 마음먹었다.

그는 통역의 보조를 받아 가며, 시간과 장소를 정확히 회상하면서 시계를 약탈당한 경위를 상세히 설명했다.

스텐코프는 혹이 붙었던 뺨을 쓰다듬으면서 긴장된 모습으로 듣고 있었다.

"염려 없소. 독또오루 리, 위대한 붉은 군대가 그럴 리가 없소. 만약 있었다 하더라도 그것은 무슨 착각이었을 것이오. 내가 책임지고 찾도록 하겠소."

스텐코프의 얼굴에 결의를 띤 심각한 표정이 스쳐가는 것을 이인국 박사는 똑바로 쳐다보았다.

'공연한 말을 끄집어내어 일껏 잘 되어 가는 일에 부스럼을 만드는 것은 아닐까?'

그는 솟구치는 불안과 후회를 짓눌렀다.

"안심하시오, 독또오루 리, 하하하."

스텐코프는 큰 웃음으로 넌지시 말끝을 막았다.

이인국 박사는 죽음의 직전에서 풀려나 집으로 향했다.

어느 사이에 저렇게 노어로 의사 표시를 할 수 있게 되었느냐고 스텐코프가 감탄하더라는 통역의 말을 되뇌이면서…….


차가 브라운 씨의 관사 앞에 닿았다.

성조기를 보면서, 이인국 박사는 그 날의 적기와 돌려 온 시계를 생각했다.

응접실에 안내된 이인국 박사는 주인이 나오기를 기다리면서 방 안을 둘러보았다. 대사관으로는 여러 번 찾아갔지만 집으로 찾아온 것은 이번이 처음이다.

삼 년 전 딸이 미국으로 갈 때부터 신세진 사람이다.

벽 쪽 책꽂이에는, 이조실록, 대동야승 등 한적이 빼곡히 차 있고 한쪽에는 고서의 질책이 가지런히 쌓여져 있다.

맞은편 책장 위에는 작은 금동 불상 곁에 몇 개의 골동품이 진열되어 있다. 십이 폭 예서 병풍 앞 탁자 위에 놓인 재떨이도 세월의 때묻은 백자기다.

저것들도 다 누군가가 가져다 준 것이 아닐까 하는 데 생각이 미치자 이인국 박사는 얼굴이 화끈해졌다.

그는 자기가 들고 온 상감진사 고려 청자 화병에 눈길을 돌렸다. 사실 그것을 내놓는 데는 얼마간의 아쉬움이 없지 않았다. 국외로 내어보낸다는 자책감 같은 것은 아예 생각해 본 일이 없는 그였다.

차라리 이인국 박사에게는, 저렇게 많으니 무엇이 그리 소중하고 달갑게 여겨지겠느냐는 망설임이 더 앞섰다.

브라운 씨가 나오자 이인국 박사는 웃으며 선물을 내어놓았다. 포장을 풀고 난 브라운 씨는 만면에 미소를 띠며 기쁨을 참지 못하는 듯 땡큐를 거듭 부르짖었다.

"참 이거 귀중한 것입니다."

"뭐 대단한 것이 아닙니다만, 그저 제 성의입니다."

이인국 박사는 안도감에 잇닿는 만족을 느끼면서 브라운 씨의 기쁨에 맞장구를 쳤다.

브라운 씨의 영어 반, 한국말 반으로 섞어 하는 이야기를 들으면서, 이인국 박사는 흐뭇한 기분에 젖었다.

"닥터 리는 영어를 어디서 배웠습니까?"

"일제 시대에 일본말 식으로 배웠지요. 예를 들면 '잣도 이즈 아캇도' 식으루요."

"그런데 지금 발음은 좋은데요, 문법이 아주 정확한 스탠다드 잉글리쉬입니다."

그는 이 말을 들을 때 문득 스텐코프의 말이 연상됐다. 그러고 보면 영국에 조상을 가진다는 브라운 씨는 R 발음을 그렇게 나타내지 않는 것 같게 여겨졌다.

"얼마 전부터 개인 교수를 받고 있습니다."

"아, 그렇습니까."

이인국 박사는 자기의 어학적 재질에 은근히 자긍을 느꼈다.

브라운 씨가 부엌 쪽으로 갔다 오더니 양주 몇 병이 놓인 쟁반이 따라 나왔다.

"아무거라도 마음에 드는 것으로 하십시오."

이인국 박사는, 워드카 잔을 신통한 안주도 없이 억지로라도 단숨에 들이켜야 속시원해하던 스텐코프를, 브라운 씨 얼굴에 겹쳐 보고 있다.

그는 혈압 때문에 술을 조절해야 하는 자기 체질에 알맞게, 스카치 잔을 핥듯이 조금씩 목을 축이면서 브라운 씨의 이야기를 기다렸다.

"그거, 국무성에서 통지 왔습니다."

이인국 박사는 뛸 듯이 기뻤으나 솟구치는 흥분을 억제하면서 천천히 손을 내밀어 악수를 청했다.

"땡큐, 땡큐."

어쩌면 이것은 수술 후의 스텐코프가 자기에게 하던 방식 그대로인지도 모른다는 생각이 들었다.

이인국 박사는 지성이면 감천이라구, 나의 처세법은 유 에스 에이에도 통하는구나 하는 기고만장한 기분이었다.

청자병을 몇 번이고 쓰다듬으면서 술잔을 거듭하는 브라운 씨도 몹시 즐거운 기분이었다.

"미국에 가서의 모든 일도 잘 부탁합니다."

"네, 염려 마십시오. 떠나실 때 소개장을 써 드리지요."

"감사합니다."

"역사는 짧지만, 미국은 지상의 낙토입니다. 양국의 우호와 친선에 도움이 되기를 바랍니다."

"땡큐……."

다음 날 휴전선 지대로 같이 수렵하러 가기로 약속하고 이인국 박사는 브라운 씨 대문을 나섰다.

이번 새로 장만한 영국제 쌍발 엽총의 짙푸른 총신을 머리에 그리면서 그의 몸은 날기라도 할 듯이 두둥실 가벼웠다. 이인국 박사는 아까 수술한 환자의 경과가 궁금했으나 그것은 곧 씻겨져 갔다.

그의 마음속에는 새로운 포부와 희망이 부풀어 올랐다.

신체 검사는 이미 끝난 것이고 외무부 출국 수속도 국무성 통지만 오면 즉일 될 수 있게, 담당 책임자에게 교섭이 되어 있지 않은가? 빠르면 일주일 내에 떠나게 될지도 모른다는 브라운 씨의 말이 떠올랐다.

대학을 갓 나와 임상 경험도 신통치 않은 것들이 미국에만 갔다 오면 별이라도 딴 듯이 날뛰는 꼴이 눈꼴 사나웠다.

'어디 나두 댕겨오구 나면 보자!'

문득 딸 나미와 아들 원식의 얼굴이 한꺼번에 망막으로 휘몰아 왔다. 그는 두 주먹을 불끈 쥐며 얼굴에 경련을 일으키듯 긴장을 띠다가 어색한 미소를 흘려 보냈다.

'흥, 그 사마귀 같은 일본 놈들 틈에서도 살았고, 닥싸귀 같은 로스케 속에서도 살아났는데, 양키라고 다를까…… 혁명이 일겠으면 일구 나라가 바뀌겠으면 바뀌구, 아직 이 이인국의 살 구멍은 막히지 않았다. 나보다 얼마든지 날뛰던 놈들도 있는데, 나쯤이야…….'

그는 허공을 향하여 마음껏 소리치고 싶었다.

'그러면 우선 비행기 회사에 들러 형편이나 알아볼까…….'

이인국 박사는 캘리포니아 특산 시가를 비스듬히 문 채 지나가는 택시를 불러 세웠다.

그는 스프링이 튈 듯이 박스에 털썩 주저앉았다.

"반도 호텔로……."

차창을 거쳐 보이는 맑은 가을 하늘은 이인국 박사에게는 더욱 푸르고 드높게만 느껴졌다.

# 흑 산 도

첫 조금이 지난 달무리였다. 철에 고깝지 않게 포근한 날씨가 새벽눈이라도 내릴 것만 같았다.

손바닥 오그린 모양으로 오붓하고 아늑하게 생긴 좌청룡 우백호에 감싸인 마제형의 형국이라는 나루였다.

평나무, 누럭나무, 재빼나무가 우거진 속 용왕당이 버티고 서 있는 당산 기슭에 감아 붙어 갯밭에 오금을 괴고 조개껍데기처럼 닥지닥지 조아붙은 마을 한 기슭으로 뒷주봉 나왕산 골짜기에 꼬리를 문 개울이 밀물을 함빡 삼켰다가 썰물에 구렁이처럼 개펄로 꿈틀거리고 흘러내리는 것이 희미한 달빛에 비늘처럼 부서진다.

갯가에서는 마을 장정들의 흥겨운 노랫소리가 꽹과리, 장구 소리에 섞여 당산까지 울렸다가는 숨 죽은 듯 고요한 바다 위로 다시 퍼져 흩어진다.

인실이네 마당에서는 큰아기들이 손에 손을 잡고 둘레를 돌면서 메기고 받는 강강수월래가 그칠 줄을 모른다.

"딸아 딸아 막내딸아."

인실이 어머니의 메기는 소리다.

"강강수월래——."

큰아기들은 목청을 돋우어 받는다. 빨리 돌 때는 큰아기들의 삼단 같은 머리채가 궁둥이를 치고 허리통에 휘감긴다.

"너만 곱게 잘만 커라
강강수월래——."
어느덧 노래는 그들이 가장 즐기는 '둥당의 타령'으로 바뀌었다.
"둥당에다 둥당에다
당기둥당에 둥당에다"
큰아기들은 흥겨워 저도 모르게 어깨춤에 가랑이질이 섞인다.


저기가는 저생애는
남생앤가 여생앤가
여생질에 가거들랑
우리엄마 만나거든
어린자식 보챈다고
백수벵에 젖을짜서
한숨으로 마개막아
무지개로 끈을달아
전하라소 전하라소
안개속에 전하라소


까막개의 밤은 추위도 모르고 깊어만 갔다.
북술이는 동무들과 맞잡고 둥당의 노래를 부를 때는 아무 시름도 없
이 즐겁기만 했다. 그러나 혼자서 이 노래를 읊조리면 얼굴 모습조차
기억 속에 더듬기 어려운 어머니의 옛이야기처럼 서러움이 꿀컥 치밀었
다. 둘레를 돌면서도 북술이의 눈은 이따금 갯가로 옮겨졌고, 그럴 때마
다 용바우의 믿음직한 목소리가 귓전을 어루만져 슬픔을 가라앉히곤 했

다.

갯가에서는 막걸리를 나누는 참이었는지 한참 잦았던 징소리가 이번에는 더 세차게 마을을 스쳐서는 뒷주봉에 메아리를 울렸다.

'한아부지가 기다릴라.'

아쉬운 생각도 없지 않았지만 노래 중간에서 뺑소니를 쳐 나온 북술이의 걸음은 집에 가까울수록 무거워만졌다.

당산 밑 낭떠러지에 등을 대고 다가붙은 갯집 큰방에는 불빛도 보이지 않았다. 정주와 큰방과 마루를 둘러싼 앞마당은 그대로 한길이자 갯가였다.

"인자사 와……."

굴뚝 뒤로 우거진 동백나무 그림자에서 불쑥 튀어나오는 소리였다.

"아이고, 놀랬재라우, 누고……."

"나야, 나."

용바우의 크고 벌어진 어깨가 북술이 앞으로 다가왔다.

"난 또 누구라고, 갯가에서 벌써 왔는지라우?"

"안 갔재라, 내일이 유왕(용왕)님 고사 모시는 날이랑께."

"응, 그랴."

북술이는 깜박 잊었던 용왕제가 생각났다.

"그렁께로 술도 고기도 못 먹고 정히 한다이께."

까막개 사람들은 바다와 싸우면서 바다를 의지하고 살아왔다. 폭풍우를 만나면 바다가 적이었고, 고요하게 잠자는 날이면 바다보다 다사로운 벗은 없었다.

이 섬에서는 일 년의 넉 달은 농사가 살려 주고, 나머지 여덟 달은 바다가 키워 주어 미역과 모자반과 생선으로 목숨을 이었다.

그들은 바다에서 나서 바다에서 죽었다. 용바우 아버지도 그랬고, 북술이 아버지도 그러했다. 원수인 바다에 끝없는 저주를 보내면서 바다에 대한 치성은 그들의 신앙이었다.

그러기에 가장 허물없고 깨끗한 젊은이들이 해마다 정초에는 용왕제 집사로 뽑혔다. 용바우도 금년에는 이 정성스러운 일에 한몫 들었다.

용바우는 열다섯에 첫 배를 탔다. 털보 영감으로 통하는 안 선달과, 두 살 맏이이지만 알이 작기에 대추씨라는 별명을 가진 두칠이 틈에 끼여 북술이 할아버지 박 영감과 함께 칠산 바다에서 연평 앞개까지 올라 훑는 조개잡이로 시작된 뱃길이 어느 새 십 년이 흘렀다.

세월은 박 영감의 등에서 살점을 앗아 가고, 머릿빛을 갈아 내고, 이마에 밭이랑 같은 주름을 박아 가는 사이에, 용바우는 제법 소금섬 두 가마씩을 단숨에 지고 발판을 나는 듯이 뱃전으로 오르내리게 되었다. 간물에 전 검붉은 얼굴은 윤기를 띠었고, 이글이글 타는 화경 같은 눈동자는 박 영감의 가슴속 빈 구석을 채워 주었다.


용바우에게 북술이는 거리낌도 수줍음도 없었다. 나이야 먹어 가든 말든 그대로 장난이요 반말이었다. 그러던 북술이가 어느덧 용바우 앞에서 옷고름을 물지 않으면 앞섶을 만지작거리는 버릇이 생겼다.

박 영감은 박 영감대로 용바우에 대한 속셈을 했고 용바우는 어느 새 북술이가 제 물건처럼 소중해졌다. 북술이도 노상 용바우가 싫지는 않았다.

"그라문 간물에 몸을 씻고 가지라우."

"내일 새벽 일찍이 씻는당께."

"배는 언제 떠나고?"

"이자 배꼴을 박고 끄스리문 모레쯤 떠나제, 올에는 새로 묵은 배니께 흥두 날게라."

"그랑이께 두 밤 자문?"

"응, 그랴."

용바우는 달빛에 어린 북술이의 얼굴이 봉오리 벌어지는 동백꽃보다 더 아름답다고 느껴졌다. 몸집이 마음 놓고 굵어진 것 같아 부푼 가슴이 풀 먹은 인조견 저고리 앞자락을 슬며시 들고 일어섰다.

"북술이는 또 나이 하나 더 먹었으니께 인제 열아홉이제."

"누군 나이를 안 먹구 나만 먹는지라우."

고름 끝을 비비는 북술이의 입가에는 엷은 웃음이 어렸다. 용바우는 북술이의 입이 가장 복스럽다고 생각되었다. 그 입으로 말이건 웃음이건 거푸거푸 새어나오게 하고만 싶었다.

'북술이는 지 어무니를 닮았재라우, 고 복스런 입이 더.'

입버릇처럼 뇌까리는 인실이 어머니의 말이 떠올랐다.

"인자 씨집도 가양께."

처음 하는 소리였다. 그러나 지난봄부터 용바우의 혀끝에서 맴도는 한 마디였다.

"누가 씨집 간다는지라우."

"그랴문 씨집두 안 가구 큰애기로 늙으라제."

"언제 누가 큰애기로 늙는당께…… 남의 걱정 말구 장가나 가라재라우."

북술이도 이번에는 가슴이 탁 트이도록 소리를 내어 웃었다.

어느 사이엔지 용바우의 삿대 같은 팔은 북술이의 겨드랑이를 스쳐 사등뼈가 바스라지도록 껴안는 판에 가슴은 숨막히게 가빴다. 용바우의 뜨거운 입김이 북술이의 이마를 확확 달구었다.

"어디 참말 씨집 앙 가나 보자이께."

"누구는……."

봉창문이 삐걱 소리를 내었다. 박 영감의 쿨룩거리는 기침 소리였다.

"누구라?"

"……."

"나 북술이라우."

"응, 북술이라."

"야."

북술이의 허리를 놓은 용바우는 슬며시 갯가로 돌아 까막바위 쪽으로 내려갔다.

"누가 왔지로?"

"저 용바우가."

"새날이문 용왕님 고사에 나갈 놈이 가시나하고 무슨 짓이라."

다시 박 영감의 해소가 끊이지 않는 사이에 북술이는 방에 들어가 쪼그리고 누웠다. 그러나 용바우의 입김은 아직도 이마에 뜨거웠다.

먼동이 트기 전부터 내리는 눈은 송송이같이 함박으로 퍼부어 미처 녹다 못해 오래간만에 쌓여졌다. 당산에서는 본당 정면에 단청으로 그려진 남녀 괘화 앞에 소 한 마리가 사각과 두족으로 동강이 나 놓여 있고, 이 한 해의 잡귀를 몰고 풍어를 기원하는 고축도 끝났다. 만선을 축원하는 용바우의 머릿속에는 북술이가 크게 자리잡고 있었다.

한낮이 되자 하늘은 개고 거의 녹아 버린 눈길에 마을 사람들은 명절보다 더 기뻤다.

달이 나왕봉 마루에 기울기 시작했다. 까막바위 앞에 웅크리고 앉은 두 그림자는 이슥하도록 움직이지 않았다. 잔물결이 바위 밑에 부서졌다가는 밀려 가는 것이 차츰 거세어졌다.

"그라이께, 새벽참에 꼭 떠나야제?"

"그래."

"한아부지가 보름이나 지나믄 나가자는디."

"물감자(고구마)도 그만 다 떨어졌지라, 먹을 것이 바닥이 났으라우."

"그랄 테지라, 하지만……."

"아니오, 보름 전에 한 축은 해야 한다이께."

용바우는 담배를 말아서 불을 붙였다. 두툼한 양 볼이 오므라지게 빨았다가는 길게 내뿜었다. 눈 온 뒤에는 꼭 바람이 터진다는 할아버지의 말이 다시 떠올라 북술이는 어쩐지 불안스러웠다.

"보름을 쇠구 가제, 그라요."

"보름은 손구락을 빨구 쇤당께. 새벽참에 떠나믄 보름 전에 돌아오지라."

잊었던 찬 기운이 겨드랑이로 스며들었다. 북술이는 용바우 무릎에 바싹 다가앉았다.

"그라이께 말이여, 이번 한 채만 잘 하믄 그걸 팔아서 북술이 신발을 사고 나도 작업복이나 한 벌 갈아입어야제."

"……."

용바우의 거북등 같은 손아귀에 꽉 쥐인 북술이의 손은 해면처럼 오그라들었다. 북술이는 용바우가 껴안는 대로 잠자코 있었다. 머루알 같은 젖꼭지에 용바우의 손끝이 닿으니 등줄기가 저리도록 간지러웠다.


용바우는 박 영감을 찾았다.

"나두 인자 이만큼 하이께 한아부지는 그만 쉬지라우, 올해는 셋이서 네 몫을 하랍니데."

"글쎄라……."

"털보 영감과 두칠이두 그랬지로, 해소가 심한디 조섭을 해야지라고."

"이래도 배에만 오르믄 상관없는지라."

박 영감은 곰방대를 들면서 긴 한숨을 꺾었다.

"가알도 아니고 절(겨울)에 안 되지라."

"그래섰지마는 어디 그랄 수야……."

벌써 몇 번이나 되풀이되는 이야기였다. 정주에서 뱃점심 고구마를 솥에 안치고 있던 북술이는 코허리가 시큰했다. 눈까풀을 까물거리니 기어코 방울이 떨어졌다. 설 보름과 제사 때만 맛보던 쌀밥이건만 아버지 제사에 쓰려던 메쌀을 갈라서 고구마 솥에 깔았다.


첫닭이 울었다. 배는 물때를 따라서 떠나야 했다. 앞개에 늘어선 배마다 불이 환했다. 나루터는 찾는 소리, 대답하는 소리에 왁자지껄 고아 댔다.

털보 영감은 홍어 주낙을 올리고 두칠이와 용바우는 뒷장에 그물을 실었다. 물동이를 이고 나오는 북술이의 뒤에 박 영감이 따라섰다.

두칠이는 닻을 올리고 털보 영감은 뒷줄을 풀었다. 용바우가 삿대를 내리밀자 털보 영감은 이내 키를 잡았다. 두칠이는 노를 풀어 놋좆을 제자리에 박고 노걸이를 걸었다.

배가 움직이기 시작했다. 어둠 속에서 썰물을 타고 달아나는 뱃머리에 부딪는 물결 소리만이 아우성에서 멀어져 가는 새벽의 고요를 깨뜨렸다.

"알맞는 샛마라, 돛을 올리제."

털보 영감의 의기를 띤 소리였다. 용바우와 두칠이는 돛대를 발바닥으로 지그시 밀면서 총줄을 팽팽히 죄었다. 용두줄을 당기어 뒷장에 꼽을돛을 올리고 허리돛마저 올렸다. 새벽 바람에 활처럼 탱겨진 돛은 바람먹은 복어가 물 위에 떠가듯 가볍게 미끄러졌다. 안깨를 벗어난 지

이윽해서 용바우는 멀리 홍도께로 내다보았다. 먼동이 트기 시작하나 수평선은 아직 어둠 속에 잠겼다. 아득히 석끼미 등댓불만이 깜박거렸다.

용바우의 머리에는 간밤 진주알 같은 눈망울로 쳐다보던 북술이의 모습이 떠올랐다. 가슴이 뛰었다.

'만선을 해 갖구 들어가야제.'

이렇게 바다로 나가는 것이, 아니 사는 것이 모두 북술이 때문에 보람 있는 것같이 그런 심정으로 자꾸만 이끌어졌다.

'언제 누가 큰애기로 늙는당께.'

북술이의 말소리가 아직도 귓가에서 떠나지 않았다.

큰 바다에 나오니 바람은 휘몰아치고 너울은 점점 거세어졌다.

"치(키)를 좀 외로 틀제."

이무장에 걸터앉은 털보 영감은 뒷장에 서 있는 용바우를 건너다 넌지시 한 마디 던지고는 담배를 피워물었다. 털보 영감은 까칠어진 손을 비비면서 아들놈도 장성해 가니 이제 금년으로 뱃길을 끝내야겠다고 생각에 잠겼다. 그리고는 애송이 같은 것이 그래도 하이칼라랍시고 머리 밑을 도리고 다니는 아들 녀석의 굵어 가는 뼈다귀를 가늘어진 눈 언저리에 그리며 만족한 듯한 미소를 입 가장자리에 여물렸다.

아직도 갯가에 서 있는 박 영감은 지금쯤은 배가 옥섬 모퉁이는 돌았겠다고 생각되었다. 뭇 배가 다 떠나고 갯밭이 조용해질 때까지도 박 영감은 돌처럼 그 자리에서 움직이지 않았다.

얼마 동안을 지났던지 비금도 쪽에 포개졌던 엷은 구름이 가시고 햇발이 솟아오르기 시작했다. 육십 평생 보아 온 하늘이건만 하루도 똑같은 날은 없었다.

'바다가 유헨덕이라면 하늘이사 제갈량이제, 참 조홰야, 암만 가구

싶어도 하누님이 말면 못 가이께.'

박 영감의 눈은 동녘 하늘에 못박히고 있다. 활대 구름이 허리띠처럼 가로놓여 있기 때문이었다.

'거기다 해까지 노란 씨레를 달았군, 옘평 가마깨에서 배가 곤두박질 한 것도 저 구름이었다. 아들놈이 서바닥 호쟁이꼴에서 소식이 없어 진 것도 바로 저 구름이었지…… 오늘 밤엔 하누바람(북풍)이 터질 테라.'

갯밭에서 마을길로 옮기면서도 박 영감의 시선은 항시 구름에서 떨어지질 않았다.

누더기가 되다시피 한 솜옷 위에 언젠가 데구리 선장이 던지고 갔다는 군복 잠바를 걸친 박 영감은, 뒤로 보아서는 야윈 얼굴이 짐작될 바도 아니나 옆에서 치켜보면 목덜미의 힘줄이 지렁이처럼 내솟구고 있다.

'올해사나 잘 되믄 가알에는 성례를 시켜야제.'

박 영감은 한순간 흐뭇한 기분으로 중얼거렸다. 북술이는 귀엽고 용바우는 고마웠다. 멀리 안깨로 들어서는 겐자쿠의 고동 소리가 박 영감에게는 못마땅했다.


해초 뜯기는 조금께가 제일 알맞았다. 북술이는 바구니를 들고 까막 바위 쪽으로 돌아갔다.

정이월부터 삼사월까지는 모자반과 우무를 뜯고, 오뉴월이면 잠질해서 생복이나 성게를 땄다. 칠팔월에는 미역이 한창이었고, 구시월 접어들어 동지섣달까지는 김을 주웠다. 갯밭을 파는 조개잡이는 사철 가리지 않아 이렇게 까막개 아낙들은 여름은 여름대로 겨울은 겨울대로 바다와 더불어 손끝이 닳아 갔다.

"잉아, 북술이 니는 뭍에 가 봤제?"

작년 봄에 과부가 된 새댁이 북술이 허벅다리를 꾹 찔렀다.

"응, 한 번."

"나도 꼭 한 번 목포에……."

큰아기 머리채처럼 치렁치렁한 모자반 포기를 바구니에 주워 담던 그들은 허리를 폈다. 그들의 눈길은 멀리 동쪽 기좌도·팔금도의 희미한 능선에 머물렀다. 까막개 큰아기들에게는 뭍이 향수처럼 그리웠다.

"인자 그만 뭍에 가 살았으문……."

새댁은 바위 끝에 앉으며 동의를 구하는 듯한 눈매로 북술이를 쳐다보았다. 북술이의 마음도 그러했다. 바다를 떠나서는 살 수 없으면서도 해마다 그 꼴로 되풀이되는 섬 살림이 이젠 진절머리가 났다.

"그라문 새댁은 뭍으로 가제."

"북술이는 용바우가 있으니끼로 안 되지라우."

"……."

북술이의 가슴은 화살을 맞은 것 같았다. 사실 북술이도 뭍이 뼈저리게 그리웠다.

"누가 용바우 때문이라우."

"용왕제 전날 밤도 살금이 새어서 용바우를 만났제."

"……."

머리를 저었으나 북술이의 얼굴은 붉어졌다.


지난 여름 물을 실어 간 건착선의 곱슬머리가 찾아왔다.

"북술이, 금년에도 물 좀 부탁해."

"야."

"이거는 빨래고."

곱슬머리가 다녀간 후 보따리를 헤치니 빨랫비누 세 개와 담뱃갑이 굴러 나왔다.

할아버지는 그거는 왜 받았느냐고 몹시 나무랐다. 그러나 얼마 안 가서 노인은 풀잎을 썰어 피우던 쌈지를 밀어 놓고 궐련을 끄집어내기에 북술이도 겨우 마음을 놓았다.

떠나는 뱃길이 썰물이라면 돌아오는 뱃길은 밀물이었다. 개펄은 장작 횃불에 야시처럼 환했다. 그러나 간밤부터 몰아치는 돌개바람은 아직도 가라앉지 않고 너울은 굶주린 이리 떼처럼 태질을 했다.

마을 사람들은 나루터에서 밤을 새웠으나 아직도 배 세 척이 돌아오지 않았다.

열흘 만에야 하태도에 불려 갔던 구장네 배가 돌아왔다. 그러기에 그들은 아직도 한 가닥의 희망은 버리지 않았다. 이제 순돌이네 배와 용바우가 탄 배만 돌아오면 되었다.

바다는 언제 그런 폭풍우가 있었느냐는 듯이 시치미를 딱 떼고 거울같이 맑았다. 마을 사람들은 아무 일도 없은 듯이 또 배를 타고 바다로 나갔고, 아낙네들은 바구니를 들고 개펄로 나갔다.

북술이는 나왕봉 꼭대기에 올라갔다. 이 마루턱에 서면 멀리 홍도가 검은 바위빛으로 나타나고 그 사이에 호쟁이꼴이 가로놓여 있기 때문이었다.

북술이의 마음속에는 용바우가 꼭 살아서 돌아올 것만 같은 생각이 들었다. 북술이는 하루 종일 홍도 바다에 눈을 박고 장승처럼 섰다. 그러나 해가 하늘 끝에 기울어도 수평선에 까물거리는 고랫배 외에는 낯익은 아무것도 나타나지 않았다.

북술이 아버지 제삿날 밤이었다. 같은 날에 세 사람의 제사였다. 그러나 까막개에는 이것이 그렇게 신기한 일은 아니었다. 다행히 같은 배에서 살아오는 사람이 있으면 죽은 날이 밝혀졌고, 기다리다 지쳐서 단념을 하게 되면 떠나던 날이 제삿날로 되었다.

바다는 그들에게서 눈물을 핥아 갔고 한숨마저 뿌리째 빼어 갔다.

"하이끼로 구만 예를 올리제."

희망 잃은 구장의 말이었다. 그러자 아무도 대꾸하는 사람이 없었다. 성복을 한다는 것은 망령에 대한 산 사람들의 정성이겠지만, 가족들에게는 그것이 혹 살아올지도 모르는 요행마저 도려 가는 것 같아서 석 달이고 반 년이고 파묻어 두는 일이 예사였다.

"그놈의 기골이 그렇게 비명으로 죽을 놈은 아닌디."

무거운 침묵을 깨뜨리고 박 영감의 입이 열렸다.

"글쎄 인실이 아버지도 그 때 석 달 만에 살아왔으니께."

다른 사람에게 틈을 주지 않고 불길을 막으려는 듯 용바우 어머니가 가로챘다.

"인실이 아버지 같은 천명이야 어떻게 바란다우. 대마도까지 불려 갔으니께."

하나도 이치에 어긋나는 이야기가 아니건만 가족들은 구장의 말이 제각기 못마땅했다.

"그놈의 겐자쿠 요다키인가 불바다가 돼 가지구 하룻밤에 우리가 잡는 일 년 몫을 쓸어 가는지라 나갈 제는 소 잡으러 나가는 것처럼 소리치고 나가지만 들어올 때는 죽을 지경으로 들어오니께."

박 영감의 말이었다.

"데구리까지 제멋대로 끌고 당기이게 양짝서는 퍼 실어도 가운데서는 못 잡지라우."

곱사등이가 입을 내밀었다.

"왜정 때만 했어도 연해 삼십 마일 밖에라야 데구리 허가를 했는데 요새는 손앞에서 막 해 먹으니께로 고기 종자가 없제."

도무지 세상 되어 먹는 꼴이 눈꼴사납다는 듯한 구장의 말투였다.

"맹아더론(맥아더라인), 그것도 상관없는지라."

이번에는 구레나룻의 주걱턱이 맞장구를 쳤다.

까막개의 밤은 이야기로 새었고, 주리고 부은 얼굴들엔 그렇게라도 해야 어지간히 화풀이가 되었다.


벌써 두 달이 꼬박이 흘러갔다. 마을 사람들은 길어진 해가 원망스러울수록 허리띠를 더 졸라맸다. 집집마다 계량이 끊어졌다.

이젠 그들의 입에서 털보 영감이나 용바우 이야기가 점점 사라져 갔다. 기억 속에서도 아지랑이처럼 흐려 갔다. 그러나 북술이만은 날이 갈수록 용바우의 윤곽이 더 뚜렷이 돋아올랐다. 구릿빛으로 탄 얼굴이 눈에 선했다.

북술이는 나루터로 나갔다. 어젯저녁 꿈자리가, 오늘은 꼭 용바우가 돌아올 것만 같았다. 그러나 밤이 이슥하도록 고기가 낚이지 않아 빈 배로 돌아오는 마을 사람들의 시들어진 얼굴 속에 용바우의 모습은 보이지 않았다.

이튿날 아침 북술이는 묵을 쑬 우무를 고아서 동이에 받아 놓고 집을 나섰다. 인실이 어머니를 찾아 산으로 올라갔다. 벌써 달포나 우려먹은 우무묵과 모자반나물에 시달려 종아리가 허전했다.

칡뿌리 파기에는 힘이 겨워 송피를 벗겼다. 소나무의 곧은 줄기라곤 다 없어지고 앵돌아진 가지밖에 남지 않았다. 한나절이 지나서야 송기는 바구니에 반이나 찼다.

"북술애, 쪼금 쉬재이."

"그라재라우."

인실이 어머니가 주저앉은 옆에 북술이도 다리를 뻗고 앉았다. 인실이 어머니의 얼굴은 멀겋게 부었다. 만삭이 되어서 그런지 몸뚱어리도 부은 것같이 유별히 크게 보였다.

인실이 어머니는 다리를 쭉 펴고 정강이를 엄지손가락으로 꾹 눌렀다가 떼었다. 한참 있어도 손가락 자리는 부풀지 않았다.

"이렇게 배도 부었제라."

북술이는 마음이 쓰렸다. 이번에는 그 손가락으로 북술이의 정강이를 더 힘주어 눌렀다. 북술이 다리도 손가락 자리가 옴폭했다. 그러나 손바닥으로 문지르니 그 자리는 금방 그대로 되었다. 북술이는 제 손가락으로 이렇게 되풀이하면서 쓴웃음을 지었다.

인실이 어머니는 북술이 다리를 베고 누워 북술이에게 머릿니를 잡히면서 이야기를 시작했다.

"북술이는 꼭 지 어무니를 닮았제, 고 입이 더, 북술이 어무니는 소문나게 고왔재라, 마을 머시마들이 오금을 못썼으이께, 그란디 육지루만 씨집가겠다구 그랴는지라."

처음 듣는 이야기였다. 북술이는 이 잡던 손을 멈추고 인실이 어머니 입만 내려다보았다.

"그랴, 북술이 아부지가 홍도에 장가를 갔었는디 가서 잔칫날 각시를 다리고 오고는 사흘 만에 첫질 가는디 풍파가 심했어라. 좋은 날 받아 갈라니 또 풍파가 일구 또 일구 그래서 북술이를 나 갖구 첫질을 갔재라."

북술이는 침을 꿀꺽 삼키고 또 인실이 어머니의 입만 지키고 있다.

"그란디 그 다음 해 호쟁이꼴에서 그만 북술이 아부지가……."

인실이 어머니는 숨을 길게 들이키었다. 북술이의 눈 언저리가 흐려

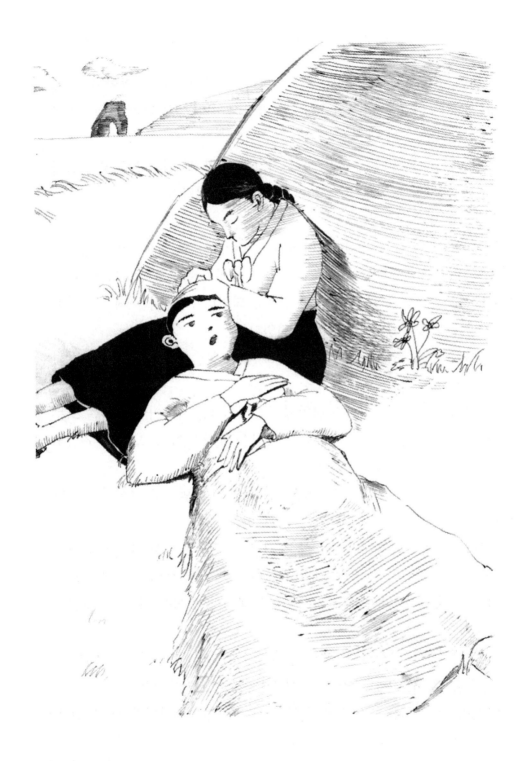

졌다.

"북술이 어머니는 날마다 나왕봉에 올라갔재라, 석 달을 두고…… 옛날에도 그래 망부석이 있어라. 그런디 인실이 아부지 오이께 소식을 듣고 병이 났지라."

북술이의 눈물이 인실이 어머니의 이마에 떨어졌다.

"그런디 북술이 어무니는 밤에 없어졌재라."

"어디로?"

잠자코 듣고만 있던 북술이가 다급하게 물었다.

"물에 빠져 죽었다이께…… 육지에서 봤다는 사람도 있제."

"육지에……."

어머니가 죽었다고만 들은 북술이는 제 귀를 의심했다. 육지가 어머니의 젖가슴처럼 그리워졌다. 북술이는 급기야 흐느껴 울었다. 인실이 어머니는 무릎에서 일어났다.

"울지 말라이께, 다 옛말이라, 인자 북술이도 육지로 시집을 가야제."

북술이는 용바우가 돌아오지 않는 바다라면 정말 싫증이 났다. 바다가 미워졌다. 아예 바다를 떠나야만 살 것 같았다.

북술이의 머리에는 건착선의 곱슬머리가 떠올랐다. 육지에 같이 가 살자고 그렇게 조르는 곱슬머리에게 오늘은 대답하리라고 마음먹었다.

북술이는 정주에 들어서자 난데없는 자루에 눈이 둥그레졌다. 풀어 보니 쌀자루에 고무신 한 켤레가 들어 있었다. 그렇잖아도 풀물만 마시고 누워 있는 할아버지에게 쌀 미음 한 그릇이라도 따끈히 권하고 싶은 요사이의 심정이었다.

"한아부지, 쌀이라우."

방 쪽을 향하여 묻는 말이었다.

"응, 북술이라. 그 겐자쿠 젊은이가 가져왔지라."

지난번 담배 때와는 딴판으로 별로 나무라는 눈치는 아니었다.

오래간만에 다루어 보는 쌀이었다. 북술이는 쌀을 한움큼 쥐어서는 부서져라 비비고 손바닥을 살그머니 폈다. 오드득 소리나게 마른 쌀이 손가락 사이로 간지럽게 흘러 내려갔다.

이번에는 고무신을 신어 보았다. 발에 맞기는 하나 눈처럼 흰빛이 소복 같아서 용바우에 대한 무슨 불길한 예감이 떠올라 겁이 났다.

그러나 미음 솥에 불을 지피면서도 북술이는 오래간만에 가슴이 후련했다. 부지깽이로 정주문을 내밀치고 마당에 나섰다. 당산 끝 낭떠러지에 팽꽃이 한창이었다. 둔부꽃도 피기 시작했다. 동백새가 짝을 찾는지 찢어지는 소리를 내며 숲 속으로 사라졌다. 저녁놀이 나왕봉 마루에 걸리었다. 차츰 땅거미가 산골짜기에서 개펄로 퍼졌다.

할아버지는 쌀 미음에 구슬땀이 흘렀다. 북술이도 치마끈을 늦추었다. 그러나 할아버지도 손녀도 다시는 쌀자루에 대한 이야기는 없었다.

까막조개 등잔에서 뱀 혀끝 같은 심지가 빠지작빠지작 타 들어갔다.

새벽에 진통이 시작하였다는 인실이 어머니가 해질 무렵에 어린애가 걸린 대로 죽었다는 소문이 온 마을에 퍼졌다. 다물도에 배를 가지고 갔던 인실이 아버지가 의사를 모시고 돌아온 것은 이미 운명한 뒤였다.

북술이는 송기 벗기러 갔을 때의 손가락 자리가 종시 솟아나지 않던 인실이 어머니의 다리가 자꾸만 눈앞에 어른거렸다. 나도 시집을 가면 저러리 싶으니 등골이 오싹했다.

'의사가 있는 육지에 가 살아야지.'

북술이의 마음은 자꾸만 육지로 줄달음쳤다.

곱슬머리가 사흘째 찾아왔다.

"겐자쿠가 내일 저녁 목포로 떠나, 꼭 같이 가지?"

"그라재라우!"

북술이의 눈망울은 안개보다 깊었다.

"내일 저녁 해 떨어지문 곧……."

"야."

"까막바위로 와."

"가지라우."

곱슬머리에 승낙을 하고 난 북술이의 마음은 한곳으로 정해졌다. 육지에 가서 자리만 잡으면 할아버지도 모시자는 곱슬머리의 눈동자에는 진정이 괴었다고 생각되었다.

자기를 아껴 주는 사람이면 다 고마웠다. 북술이의 머리에는 언제인가 한 번 보았던 육지의 화려한 모습이 그물코처럼 연달아 떠올랐다. 기차를 타고 자꾸자꾸 가고만 싶었다. 곱게 생겼다는 어머니의 얼굴도 그려 보았다. 그럴수록 북술이의 머릿속은 엉클어져 뜬눈으로 밤을 새웠다.


집을 나선 북술이는 끝내 까막바위로 나갔다.

해는 수평선에 가라앉았다. 어둠이 밀물처럼 스며들었다.

덴마가 까막바위에 와 닿았다. 그러나 북술이는 보이지 않았다. 곱슬머리는 북술이가 자기를 놀라게 하려고 숨었나 싶었다. 몇 차례나 바위를 돌았다. 아무리 돌아도 북술이의 모습은 찾을 길 없었다.

곱슬머리는 덴마를 나루터로 돌렸다. 그러나 마을 어느 구석에도 북술이의 그림자는 찾아볼 수 없었다. 건착선에서는 연달아 고동이 울려 왔다. 덴마가 갯가에서 사라진 후 얼마 안 되어 건착선은 앞개를 떠났다.

까막바위에 선 북술이의 눈앞에는 고래등 같은 용바우가 가로막고 섰다. 할아버지의 꿀대를 파고 솟구치는 가래침 소리가 목덜미를 잡았다.

다음 용왕당과 나루터와 개펄이 머릿속이 비좁게 감돌았다.

'그랴문 시집도 안 가구 큰애기로 늙으라제.'

용바우의 황소 같은 목소리가 어깻죽지를 붙잡았다.

덴마의 물 가르는 소리가 점점 까막바위로 가까워 왔다.

북술이는 갑자기 마을 쪽으로 쏜살같이 달아났다. 용바우가 내일 틀림없이 연락선으로 돌아올 것만 같았다.

까막개의 아낙네들은 그리다가 목마르고, 기다리다 지쳐서 쓰러지면서도 바다와 더불어 살았다.


자리를 털고 일어난 박 영감은 끌과 자귀를 들고 밖으로 나섰다. 굴뚝 뒤 바위 위에 엎어 놓은 낡은 고깃배를 끌어내렸다. 해풍에 강마른 뱃바닥에 햇볕이 새었다. 박 영감은 앨기 끝에 배꼴을 끼워 벌어진 틈을 메우기 시작했다. 부러진 노를 이었다. 박 영감은 아픈 허리를 두드리면서 아들보다 용바우가 더 그리웠다.

저물녘에는 짚불을 피워 배연애가 까맣게 된 고깃배가 나루터에 떴다. 배 윗장에서 이마에 손을 대고 북녘 하늘을 쳐다보는 박 영감의 긴장된 얼굴이 엷은 경련을 일으켰다.

'갈바람이제, 고기가 밤에 잘 물재라.'

주낙을 실은 박 영감은 뼈만 남은 양 어깨가 부서지도록 노를 저었다. 배는 나루터에서 멀어져 갔다. 바다는 속물이 약해지는 첫 께끼였다.

박 영감의 가슴에는 장수라는 별명을 듣던 삼십대의 시절이 번개같이 어렸다.

'혼자서 세 몫은 실히 해 넘겼것다. 용왕제가 끝나면 첫 조금에서 열물을 넘어 마지막 께끼를 되풀이하는 사이 서바닥에서 한몫 보구, 간

나안 앞바다에서 상어잡이가 끝나면 칠산에서 옘펭까지 조기 떼를 따라 물줄기를 거스르며, 용호동에서 만선에 기를 지르고 강화로 들어갔것다. 생선회에 한 말 술을 기울이면 객줏집 계집들도 노상 파리 떼 모이듯 했것다.'

흥겨웠던 뱃노래가 어젯일같이 뚜렷했다.

"어야 디어——어가이여——차

여——차 영——차

우리내 배임자 신수가 좋아서

칠산 옘병에 도장원하였네

어——요 에——어——야

우리배 사공님 정심이 좋아서

안암팍 두물에 만선이 되었네

어——요 에——어——야"


멀리 나루터의 북술이 그림자가 주먹만큼 했다가 팥알만큼 변하는 대로 박 영감의 시야에서 아물아물 사라졌다.


흑산도!

숙명처럼 발목을 매어 잡는 이름이었다.

할아버지의 배가 사라진 영산 모퉁이에서 옮겨진 북술이의 눈은 하늘을 건너 아득한 육지 쪽에 얼어붙었다.

해풍에 나부끼는 머리카락 밑으로 저녁놀에 비낀 양 뺨은 흠뻑 젖어 들었다.

주요섭

사랑 손님과 어머니
아네모네 마담

지은이

1902~1972년. 평양에서 출생. 호는 여심. 시인 주요한의 동생. 1921년
《매일신보》에 〈깨어진 항아리〉, 《개벽》 지에 〈인력거꾼〉 등 하층민의 생활과
반항 의식을 그린 신경향파적인 작품을 발표하면서 문단에 등장했다. 미국에
서 귀국한 후, 초기 경향에서 벗어나 〈사랑 손님과 어머니〉, 〈아네모네 마담〉
등의 작품을 통해 인간의 내면 세계와 애정 문제를 다루었다.

# 사랑 손님과 어머니

나는 금년 여섯 살 난 처녀애입니다. 내 이름은 박옥희이구요. 우리 집 식구라고는 세상에서 제일 이쁜 우리 어머니와 단 두 식구뿐이랍니다. 아차 큰일났군, 외삼촌을 빼놓을 뻔했으니.

지금 중학교에 다니는 외삼촌은 어디를 그렇게 싸돌아다니는지 집에는 끼니때나 외에는 별로 붙어 있지를 않아, 어떤 때는 한 주일씩 가도 외삼촌 코빼기도 못 보는 때가 많으니까요, 깜박 잊어버리기도 예사지요, 무얼.

우리 어머니는, 그야말로 세상에서 둘도 없이 곱게 생긴 우리 어머니는, 금년 나이 스물네 살인데 과부랍니다. 과부가 무엇인지 나는 잘 몰라도 하여튼 동리 사람들이 나더러 '과부딸'이라고들 부르니까 우리 어머니가 과부인 줄을 알지요. 남들은 다 아버지가 있는데 나만은 아버지가 없지요. 아버지가 없다고 아마 '과부딸'이라나 봐요.

외할머니 말씀을 들으면 우리 아버지는 내가 이 세상에 나오기 한 달 전에 돌아가셨대요. 우리 어머니하고 결혼한 지는 일 년 만이고요. 우리 아버지의 본집은 어디 멀리 있는데 마침 이 동리 학교에 교사로 오게 되었기 때문에, 결혼 후에도 우리 어머니는 시집으로 가지 않고 여기 이 집을 사고(바로 이 집은 우리 외할머니댁 옆집이지요.) 여기서 살다가 일 년이 못 되어 갑자기 돌아가셨대요. 내가 세상에 나오기도 전에 아버지가 돌아가셨다니까 나는 아버지 얼굴도 못 뵈었지요. 그러기에 아무리 생각해 보아도 아버지 생각은 안 나요. 아버지 사진이라는 사진은 나도 한두 번 보았지요. 참말로 훌륭한 얼굴이야요. 아버지가 살아 계시다면 참말로 이 세상에서 제일가는 잘난 아버지일 거야요. 그런 아버지를 보지도 못한 것은 참으로 분한 일이야요. 그 사진도 본 지가 퍽 오래되었는데, 이전에는 그 사진을 늘 어머니 책상 위에 놓아 두시더니, 외할머니가 오시면 오실 때마다 그 사진을 치우라고 늘 말씀하셨는데 지금은 그 사진이 어디 있는지 없어졌어요. 언젠가 한번 어머니가 나 없는 동안에 몰래 장롱 속에서 무엇을 꺼내 보았는데 그게 아마 아버지 사진인 것 같았어요.

아버지가 돌아가시기 전에 우리가 먹고 살 것을 남겨 놓고 가셨대요. 작년 여름에, 아니로군, 가을이 다 되어서군요. 하루는 어머니를 따라서 저 여기서 한 십 리나 가서 조그만 산이 있는 데를 가서, 거기서 밤도 따 먹고 또 그 산 밑의 초가집에 가서 닭고기국을 먹고 왔는데 거기 있는 땅이 우리 땅이래요. 거기서 나는 추수로 밥이나 굶지 않게 된다고요. 그래도 반찬 사고 과자 사고 할 돈은 없대요. 그래서 어머니가 다른 사람의 바느질을 맡아서 해 주지요. 바느질을 해서 돈을 벌어서 그걸로 청어도 사고 달걀도 사고 내가 먹을 사탕도 사고 한다고요.

그리고 우리 집 정말 식구는 어머니와 나와 단둘뿐인데 아버님이 계시던 사랑방이 비어 있으니까, 그 방도 쓸 겸 또 어머니의 잔심부름도 좀 해 줄 겸 해서 우리 외삼촌이 사랑방에 와 있게 되었대요.

금년 봄에는 나를 유치원에 보내 준다고 해서 나는 너무나 좋아서 동네 아이들한테 실컷 자랑을 하고 나서 집으로 돌아오노라니까, 사랑에서 큰외삼촌이(우리 집 사랑에 와 있는 외삼촌의 형님 말이야요.) 웬 한 낯선 사람 하나와 앉아서 이야기를 하고 있었습니다. 큰외삼촌이 나를 보더니 '옥희야' 하고 부르겠지요.

"옥희야, 이리 온. 와서 이 아저씨께 인사드려라."

나는 어째 부끄러워서 비슬비슬하니까 그 낯선 손님이,

"아, 그 애기 참 곱다. 자네 조카딸인가?"

하고 큰외삼촌더러 묻겠지요. 그러니까 큰외삼촌은,

"응, 내 누이의 딸…… 경선 군의 유복녀 외딸일세."

하고 대답합니다.

"옥희야, 이리 온, 응! 그 눈은 꼭 아버지를 닮았네그려."

하고 낯선 손님이 말합니다.

"자, 옥희야, 커단 처녀가 왜 저 모양이야. 어서 와서 이 아저씨께 인사 여쭙고 친해 두어야지."

나는 이 낯선 손님이 사랑방에 계시게 된다는 말을 듣고 갑자기 즐거워졌습니다. 그래서 그 아저씨 앞에 가서 사붓이 절을 하고는 그만 안마당으로 뛰어 들어왔지요. 그 낯선 아저씨와 큰외삼촌은 소리를 내서 크게 웃더군요.

나는 안방으로 들어오는 나름으로 어머니를 붙들고,

"엄마, 사랑방에 큰삼촌이 아저씨를 하나 데리구 왔는데에, 그 아저씨가아, 이제 사랑에 있는대."

하고 법석을 하니까,

"응, 그래."

하고 어머니는 벌써 안다는 듯이 대수롭잖게 대답을 하더군요. 그래서 나는,

"언제부터 와 있나?"

하고 물으니까,

"오늘부텀."

"애구, 좋아."

하고 내가 손뼉을 치니까 어머니는 내 손을 꼭 붙잡으면서,

"왜 이리 수선이야."

"그럼 작은외삼촌은 어데루 가나?"

"외삼촌도 사랑에 계시지."

"그럼 둘이 있나?"

"응."

"한방에 둘이 있어?"

"왜 장짓문 닫구 외삼촌은 아랫방에 계시구 그 아저씨는 윗방에 계시구, 그러지."

나는 그 아저씨가 어떠한 사람인지는 몰랐으나 첫날부터 내게는 퍽 고맙게 굴고 나도 그 아저씨가 꼭 마음에 들었어요. 어른들이 저희끼리 말하는 것을 들으니까 그 아저씨는 돌아가신 우리 아버지와 어렸을 적 친구라고요. 어디 먼 데 가서 공부를 하다가 요새 돌아왔는데 우리 동리 학교 교사로 오게 되었대요. 또 우리 큰외삼촌과도 동무인데 이 동리에는 하숙도 별로 깨끗한 곳이 없고 해서 위 사랑으로 와 계시게 되었다고요. 또 우리도 그 아저씨한테서 밥값을 받으면 살림에 보탬도 좀 되고 한다고요.

그 아저씨는 그림책들을 얼마든지 가지고 있어요. 내가 사랑방으로 나가면 그 아저씨는 나를 무릎에 앉히고 그림책들을 보여 줍니다. 또 가끔 과자도 주고요.

어느 날은 점심을 먹고 이내 살그머니 사랑에 나가 보니까 아저씨는 그 때에야 점심을 잡수셔요. 그래 가만히 앉아서 점심 잡숫는 걸 구경

하고 있노라니까 아저씨가,

　"옥희는 어떤 반찬을 제일 좋아하누?"

하고 묻겠지요. 그래 삶은 달걀을 좋아한다고 했더니 마침 상에 놓인 삶은 달걀을 한 알 집어 주면서 나더러 먹으라고 합니다. 나는 그 달걀을 벗겨 먹으면서,

　"아저씨는 무슨 반찬이 제일 맛나우?"

하고 물으니까 그는 한참이나 빙그레 웃고 있더니,

　"나두 삶은 달걀."

하겠지요. 나는 좋아서 손뼉을 짤깍짤깍 치고,

　"아, 나와 같네. 그럼, 가서 어머니한테 알려야지."

하면서 일어서니까, 아저씨가 붙들면서,

　"그러지 말어."

그러시겠지요. 그래도 나는 한번 맘을 먹은 다음엔 꼭 그대로 하고야 마는 성미지요. 그래 안마당으로 뛰쳐 들어가면서,

"엄마, 엄마, 사랑 아저씨두 나처럼 삶은 달걀을 제일 좋아한대."
하고 소리를 질렀지요.

"떠들지 말어."
하고 어머니는 눈을 흘기십니다.

그러나 사랑 아저씨가 달걀을 좋아하는 것이 내게는 썩 좋게 되었어요. 그것은 그 다음부터는 어머니가 달걀을 많이씩 사게 되었으니까요. 달걀 장수 노파가 오면 한꺼번에 열 알도 사고 스무 알도 사고, 그래선 두고두고 삶아서 아저씨 상에도 놓고 또 으레 나도 한 알씩 주고 그래요. 그뿐만 아니라 아저씨한테 놀러 나가면 가끔 아저씨가 책상 서랍 속에서 달걀을 한두 알 꺼내서 먹으라고 주지요. 그래 그담부터는 나는 아주 실컷 달걀을 많이 먹었지요.

나는 아저씨가 매우 좋았어요. 작은외삼촌은 가끔 툴툴하는 때가 있었어요. 아마 아저씨가 마음에 안 드나 봐요. 아니, 그것보다도 아저씨 잔심부름을 꼭 외삼촌이 하게 되니까 그것이 싫어서 그러나 봐요. 한번은 어머니와 외삼촌이 말다툼하는 것까지 내가 들었어요. 어머니가,

"야, 또 어데 나가지 말구 사랑에 있다가 선생님 들어오시거든 상 내가야지."
하고 말씀하시니까 외삼촌은 얼굴을 찡그리면서,

"제길, 남 어디 좀 볼일이 있는 날은 으레 끼니때에 안 들어오고 늦어지니……."
하고 툴툴하겠지요. 그러니까 어머니는,

"그러니 어짜갔니? 너밖에 사랑 출입할 사람이 어디 있니?"

"누님이 좀 상 들구 나가구려. 요새 세상에 내외합니까!"

어머니는 갑자기 얼굴이 발개지시고 아무 대답도 없이 그냥 외삼촌을 향하여 눈을 흘기셨습니다. 그러니까 외삼촌은 흥흥 웃으면서 사랑으로 나갔지요.

나는 유치원에 가서 창가도 배우고, 댄스도 배우고 하였습니다. 유치원 여자 선생님이 풍금을 아주 썩 잘 타요. 그런데 우리 유치원에 있는 풍금은 우리 예배당에 있는 풍금과는 아주 다른데, 퍽 조그마한 것이지마는 소리는 썩 좋아요. 그런데 우리 집 윗간에도 유치원 풍금과 꼭 같이 생긴 것이 놓여 있는 것이 갑자기 생각이 났어요. 그래 그 날 나는 집으로 오는 길로 어머니를 끌고 윗간으로 가서,

"엄마, 이거 풍금 아니유?"

하고 물으니까 어머니는 빙그레 웃으시면서,

"그렇단다. 그건 어찌 알았니?"

"우리 유치원에 있는 풍금이 이것과 꼭 같은데 무얼. 그럼 엄마두 풍금 탈 줄 아우?"

하고 나는 다시 물었습니다. 그것은 내가 이때껏 한 번도 어머니가 이 풍금 앞에 앉은 것을 본 일이 없기 때문입니다.

어머니는 아무 대답도 아니하십니다.

"엄마, 이 풍금 좀 타 봐!"

하고 재촉하니까 어머니 얼굴은 약간 흐려지면서,

"그 풍금은 너이 아버지가 날 위해 사다 주신 거란다. 너이 아버지 돌아가신 후에는 그 풍금은 이 때까지 뚜껑두 한 번 안 열어 보았다……."

이렇게 말씀하시는 어머니 얼굴을 보니까 금방 또 울음보가 터질 것만 같이 보여서 나는 그만,

"엄마, 나 사탕 주어."

하면서 아랫방으로 끌고 내려왔습니다.

 

아저씨가 사랑방에 와 계신 지 벌써 여러 밤을 잔 뒤입니다. 아마 한 달이나 되었지요. 나는 거의 매일 아저씨 방에 놀러 갔습니다. 어머니는 나더러 그렇게 가서 귀찮게 굴면 못 쓴다고 가끔 꾸지람을 하시지만 정말인즉 나는 조금도 아저씨를 귀찮게 굴지는 않았습니다. 도리어 아저씨가 나를 귀찮게 굴었지요.

"옥희 눈은 아버지를 닮았다. 그 고운 코는 아마 어머니를 닮았지, 그 입하고! 응, 그러냐, 안 그러냐? 어머니도 옥희처럼 곱지, 응……?"

이렇게 여러 가지로 물은 적도 있었습니다. 그래서 나는,

"아저씨 입때 우리 엄마 못 봤수?"

하고 물었더니 아저씨는 잠잠합니다. 그래 나는,

"우리 엄마 보러 들어갈까?"

하면서 아저씨 소매를 잡아당겼더니, 아저씨는 펄쩍 뛰면서,

"아니, 아니, 안 돼. 난 지금 분주해서."

하면서 나를 잡아끌었습니다. 그러나 정말로는 무슨 그리 분주하지도 않은 모양이었어요. 그리고 나더러 가란 말도 않고 그냥 나를 붙들고 앉아서 머리도 쓰다듬어 주고 뺨에 입도 맞추고 하면서,

"요 저구리 누가 해 주지……? 밤에 엄마하구 한자리에서 자니?"

하는 등 쓸데없는 말을 자꾸만 물었지요!

그러나 웬일인지 나를 그렇게도 귀애해 주던 아저씨도 아랫방에 외삼촌이 들어오면 갑자기 태도가 달라지지요. 이것저것 묻지도 않고 나를 꼭 껴안지도 않고 점잖게 앉아서 그림책이나 보여 주고 그러지요. 아마 아저씨가 우리 외삼촌을 무서워하나 봐요.

하여튼 어머니는 나더러 너무 아저씨를 귀찮게 한다고 어떤 때는 저녁 먹고 나서 나를 방 안에 가두어 두고 못 나가게 하는 때도 더러 있었습니다. 그러나 조금 있다가 어머니가 바느질에 정신이 팔리어서 골몰하고 있을 때 몰래 가만히 일어나서 나오지요. 그런 때에는 어머니는 내가 문 여는 소리를 듣고서야 퍼뜩 정신을 차려서 쫓아와 나를 붙들지요. 그러나 그런 때는 어머니는 골은 아니 내시고,

"이리 온, 이리 와서 머리 빗고……."

하고 끌어다가 머리를 다시 곱게 땋아 주시지요.

"머리를 곱게 땋고 가야지. 그렇게 되는대루 하구 가문 아저씨가 숭 보시지 않니?"

하시면서. 또 어떤 때에는 머리를 다 땋아 주시고는,

"응, 저구리가 이게 무어냐?"

하시면서 새 저고리를 내어주시는 때도 있었습니다.


어떤 토요일 오후였습니다. 아저씨는 나더러 뒷동산에 올라가자고 하셨습니다. 내가 너무나 좋아서 가자고 그러니까 아저씨가,

"들어가서 어머니께 허락맡고 온."

하십니다. 참 그렇습니다. 나는 뛰쳐 들어가서 어머니께 허락을 맡았습니다. 어머니는 내 얼굴을 다시 세수시켜 주고 머리도 다시 땋고 그러고 나서는 나를 아스러지도록 한 번 몹시 껴안았다가 놓아 주었습니다.

"너무 오래 있지 말고, 응."

하고 어머니는 크게 소리치셨습니다. 아마 사랑 아저씨도 그 소리를 들었을 거야요.

뒷동산에 올라가서는 정거장을 한참 내려다보았으나 기차는 안 지나갔습니다. 나는 풀잎을 쭉쭉 뽑아 보기도 하고 땅에 누운 아저씨의 다

리를 꼬집어 보기도 하면서 놀았습니다. 한참 후에 아저씨의 손목을 잡고 내려오는데 유치원 동무들을 만났습니다.

"옥희가 아빠하구 어디 갔다 온다 응."

하고 한 동무가 말하였습니다. 그 아이는 우리 아버지가 돌아가신 줄을 모르는 아이였습니다. 나는 얼굴이 빨개졌습니다. 그 때 나는 얼마나 이 아저씨가 정말 우리 아버지였더라면 하고 생각했는지 모릅니다. 나는 정말로 한 번만이라도, '아빠!' 하고 불러 보고 싶었습니다. 그리고 그 날 그렇게 아저씨하고 손목을 잡고 골목골목을 지나오는 것이 어찌도 재미가 좋았는지요.

나는 대문까지 와서,

"난 아저씨가 우리 아빠래문 좋겠다."

하고 불쑥 말해 버렸습니다. 그랬더니 아저씨는 얼굴이 홍당무처럼 빨개져서 나를 몹시 흔들면서,

"그런 소리 하문 못써."

하고 말하는데 그 목소리가 몹시도 떨렸습니다. 나는 아저씨가 몹시 성이 난 것처럼 보여서 아무 말도 못하고 안으로 뛰어 들어갔습니다. 어머니가,

"어데까지 갔던?"

하고 나와 안으며 묻는데, 나는 대답도 못하고 그만 훌쩍훌쩍 울었습니다. 어머니는 놀라서,

"옥희야, 왜 그러니? 응?"

하고 자꾸만 물었으나 나는 아무 대답도 못하고 울기만 했습니다.

이튿날은 일요일인 고로 나는 어머니와 함께 예배당에를 가려고 차리고 나서 어머니가 옷을 갈아입는 동안 잠깐 사랑에를 나가 보았습니다. '아저씨가 아직두 성이 났나?' 하고 가만히 방 안을 들여다보았더니 책

상에 앉아서 무엇을 쓰고 있던 아저씨가 내다보면서 빙그레 웃었습니다. 그 웃음을 보고 나는 마음을 놓았습니다. 아저씨가 지금은 성이 풀린 것이 확실하니까요. 아저씨는 나를 이리 보고 저리 보고 훑어보더니,

"옥희 오늘 어디 가노? 이렇게 곱게 채리구."

하고 물었습니다.

"엄마하구 예배당에 가."

"예배당에?"

하고 나서 아저씨는 잠시 나를 멍하니 바라다보더니,

"어느 예배당에?"

하고 물었습니다.

"요 앞에 예배당에 가지 뭐."

"응? 요 앞이라니?"

이 때 안에서,

"옥희야."

하고 부드럽게 부르는 어머니 목소리가 들리었습니다. 내가 얼른 안으로 뛰어 들어오면서 돌아다보니까, 아저씨는 또 얼굴이 빨갛게 성이 났겠지요. 내 원, 참으로 무슨 일로 요새는 아저씨가 그렇게 성을 잘 내는지 알 수 없었습니다.

예배당에 가서 찬미하고 기도하다가 기도하는 중간에 갑자기 나는 '혹시 아저씨두 예배당에 오지 않았나?' 하는 생각이 나서 눈을 뜨고 고개를 들어 남자석을 바라다보았습니다. 그랬더니, 하, 바로 거기에 아저씨가 와 앉아 있겠지요. 그런데 아저씨는 어른이면서도 눈 감고 기도하지 않고 우리 아이들처럼 눈을 뻔히 뜨고 여기저기 두리번두리번 바라봅니다. 나는 얼른 아저씨를 알아보았는데 아저씨는 나를 못 알아보았는지 내가 빙그레 웃어 보여도 웃지도 않고 멀거니 보고만 있겠지요.

그래 나는 손을 흔들었지요. 그러니까 아저씨는 얼른 고개를 숙이고 말더군요. 그 때에 어머니가, 내가 팔 흔드는 것을 깨닫고 두 손으로 나를 붙들고 끌어당기더군요. 나는 어머니 귀에다 입을 대고,

"저기 아저씨두 왔어."

하고 속삭이니까 어머니는 흠칫하면서 내 입을 손으로 막고 막 끌어잡아다가 앞에 앉히고 고개를 누르더군요. 보니까 어머니도 얼굴이 홍당무처럼 빨개졌군요.

그 날 예배는 아주 젬병이었어요. 웬일인지 예배 다 끝날 때까지 어머니는 성이 나서 강대만 향하여 앞으로 바라보고 앉았고 이전 모양으로 가끔은 나를 내려다보고 웃는 일이 없었어요. 그리고 아저씨를 보려고 남석을 바라다보아도 아저씨도 한 번도 바라다보아 주지도 않고 성이 나서 앉아 있고, 어머니는 나를 보지도 않고 공연히 꽉꽉 잡아당기지요. 왜 모두들 그리 성이 났는지…… 나는 그만 으아 하고 한 번 울고 싶었어요. 그러나 바로 멀지 않은 곳에 우리 유치원 선생님이 앉아 있는 고로 울고 싶은 것을 아주 억지로 참았답니다.

내가 유치원에 입학한 후 처음 얼마 동안은 유치원에 갈 때나 올 때나 외삼촌이 바래다 주었습니다. 그러나 여러 밤을 자고 난 뒤에는 나 혼자서도 넉넉히 다니게 되었어요. 그러나 언제나 내가 유치원에서 돌아오는 때이면 어머니가 옆 대문(우리집에는 대문이 사랑 대문과 옆 대문 둘이 있어서 어머니는 늘 이 옆 대문으로만 출입하시는 것이었습니다.) 밖에 기다리고 섰다가 내가 달음질쳐 가면, 안고 집으로 들어가곤 하는 것이었습니다.

그런데 하루는 어쩐 일인지 어머니가 대문간에 보이지를 않겠지요.

어떻게도 화가 나던지요. 물론 머릿속으로는 '아마 외할머니 댁에 가

셨나 부다.' 하고 생각했지마는 하여튼 내가 돌아왔는데 문간에서 기다리지 않고 집을 떠났다는 것이 몹시 나쁘게 생각되더군요. 그래서 속으로 '오늘 엄마를 좀 골려야겠다.' 하고 생각하고 있는데 옆 대문 밖에서,

"아이고, 애가 원, 벌써 왔나?"

하는 어머니 목소리가 들리더군요. 그 순간 나는 얼른 신을 벗어들고 안방으로 뛰어 들어가서 벽장문을 열고 그 속에 들어가서 숨어 버렸습니다.

"옥희야, 옥희 너, 여태 안 왔니?"

하는 어머니 목소리가 바로 뜰에서 나더니,

"여태 안 왔군."

하면서 밖으로 나가는 모양이었습니다. 나는 재미가 나서 혼자 흐흥흐흥 웃었습니다.

한참을 있더니 집에서는 온통 야단이 났습니다. 어머니 목소리도 들리고, 외할머니 목소리도 들리고, 외삼촌 목소리도 들리고……

"글쎄, 하루 종일 집이라군 안 떠났다가 옥희 유치원 파하고 오문 멕일 과자가 없기에 어머님 댁에 잠깐 갔다 왔는데 그 동안에 이런 변이 생긴 걸……"

하는 것이 어머니 목소리.

"글쎄 유치원에서는 벌써 이십 분 전에 떠났다는데 원, 중간에서……"

하는 것은 외할머니 목소리.

"하여튼 내 나가서 돌아댕겨 볼웨다. 원 고것이 어델 갔담?"

하는 것은 외삼촌의 목소리.

이윽고 어머니의 울음소리가 가늘게 들렸습니다. 외할머니는 무어라고 중얼중얼 이야기하는 모양이었습니다. '이젠 그만하고 나갈까?' 하

고 생각했으나 '지난 주일날 예배당에서 성냈던 앙갚음을 해야지.' 하는 생각이 나서 나는 그냥 벽장 안에 누워 있었습니다. 그래서 이윽고 부지중에 나는 슬며시 잠이 들고 말았습니다.

얼마 동안이나 잤는지요? 이윽고 잠을 깨어 보니 아까 내가 벽장 안으로 들어왔던 것은 잊어버리고 참 이상스러운 데에 내가 누워 있거든요. 어두컴컴하고 좁고 덥고…… 나는 갑자기 무서운 생각이 나서 엉엉 울기 시작했지요. 그러자 갑자기 어디 가까운 데서 어머니의 외마디 소리가 나더니 벽장문이 벌컥 열리고 어머니가 달려들어서 나를 안아 내렸습니다.

"요 망할 것아."

하면서 어머니는 내 엉덩이를 대번 때렸습니다. 나는 더욱더 소리를 내서 울었습니다. 그 때 어머니는 나를 끌어안고 어머니도 따라 울었습니다.

"옥희야, 옥희야, 응 인젠 괜찮다. 엄마 여기 있지 않니, 응, 울지 마라 옥희야. 엄마는 옥희 하나문 그뿐이다. 옥희 하나만 바라구 산다. 난 너 하나문 그뿐이야. 세상 다 일이 없다. 옥희만 있으문 바라고 산다. 옥희야. 응, 울지 마라. 응, 울지 마라."

이렇게 어머니는 나더러 자꾸 울지 말라고 하면서도 어머니는 그치지 않고 자꾸자꾸 울었습니다. 외할머니는,

"원, 고것이 도깨비가 들렸단 말인가, 벽장 속엔 왜 숨는담."

하고 앉아 있고 외삼촌은,

"에, 재수, 메유다."

하면서 밖으로 나갔습니다.


이튿날 유치원을 파하고 집으로 오게 된 때, 나는 갑자기 어제 벽장

속에 숨었다가 어머니를 몹시 울게 했던 생각이 나서 집으로 돌아가기가 어쩐지 부끄러워졌습니다. '오늘은 어머니를 좀 기쁘게 해 드려야 될 텐데…… 무엇을 갖다 드리문 기뻐할까?' 하고 생각하였습니다. 그러자 문득 유치원 안에 선생님 책상 위에 놓여 있던 꽃병 생각이 났습니다. 그 꽃병에는, 나는 이름도 모르는 곱고 빨간 꽃이 꽂히어 있었습니다. 그 꽃은 개나리도 아니고 진달래도 아니었습니다. 그런 꽃은 나도 잘 알고 또 그런 꽃은 벌써 피었다가 져 버린 후였습니다. 무슨 서양 꽃이려니 하고 나는 생각하였습니다. 나는 우리 어머니가 꽃을 사랑하는 줄을 잘 압니다. 그래서 그 꽃을 갖다가 드리면 어머니가 몹시 기뻐하려니 하고 생각하였습니다.

그래서 나는 도로 유치원 방 안으로 들어갔습니다. 마침 방 안에 아무도 없었습니다. 선생님도 잠깐 어디를 가셨는지 보이지 않았습니다. 그래 나는 그 꽃을 두어 개 얼른 빼들고 달음질쳐 나왔지요.

집에 오니 어머니는 문간에서 기다리고 있다가 나를 안고 들어왔습니다.

"그 꽃은 어디서 났니? 퍽 곱구나."
하고 어머니가 말씀하셨습니다. 그러나 나는 갑자기 말문이 막혔습니다. '이걸 엄마 드릴라구 유치원서 가져왔어' 하고 말하기가 어째 몹시 부끄러운 생각이 들었습니다. 그래 잠깐 망설이다가,

"응, 이 꽃! 저, 사랑 아저씨가 엄마 갖다 주라구 줘."
하고 불쑥 말했습니다. 그런 거짓말이 어디서 그렇게 툭 튀어나왔는지 나도 모르지요.

꽃을 들고 냄새를 맡고 있던 어머니는 내 말이 끝나기가 무섭게 무엇에 몹시 놀란 사람처럼 화닥닥하였습니다. 그리고는 금시에 어머니 얼굴이 그 꽃보다 더 빨갛게 되었습니다. 그 꽃을 든 어머니 손가락이 파

르르 떠는 것을 나는 보았습니다. 어머니는 무슨 무서운 것을 생각하는 듯이 방 안을 휘 한번 둘러보시더니,

"옥희야, 그런 걸 받아 오문 안 돼."

하고 말하는 그 목소리는 몹시 떨렸습니다. 꽃을 그렇게도 좋아하는 어머니가 이 꽃을 받고 그처럼 성을 낼 줄은 참으로 뜻밖이었습니다.

어머니가 그렇게도 성을 내는 것을 보니까 그 꽃을 내가 가져왔다고 그러지 않고 아저씨가 주더라고 거짓말을 한 것이 참 잘되었다고 나는 속으로 생각했습니다. 어머니가 성을 내는 까닭을 나는 모르지만, 하여튼 성을 낼 바에는 내게 내는 것보다 아저씨에게 내는 것이 내게는 나았기 때문입니다. 한참 있더니 어머니는 나를 방 안으로 데리고 들어와서,

"옥희야, 너 이 꽃 얘기 아무보구두 하지 말아라, 응."

하고 타일러 주었습니다. 나는,

"응."

하고 대답하면서 고개를 여러 번 까닥까닥했습니다.

어머니가 그 꽃을 곧 내버린 줄로 나는 생각했습니다마는, 내버리지 않고 꽃병에 꽂아서 풍금 위에 놓아 두었습니다. 아마 퍽 여러 밤 자도록 그 꽃은 거기 놓여 있다가 마지막에는 시들었습니다. 꽃이 다 시들자 어머니는 가위로 그 대를 잘라내 버리고 꽃만은 찬송가 갈피에 곱게 끼워 두었습니다.

내가 어머니께 꽃을 갖다 주던 날 밤에, 나는 또 사랑에 놀러 나가서 아저씨 무릎에 앉아서 그림책을 보고 있었습니다. 갑자기 아저씨 몸이 흠칫하였습니다. 그리고는 귀를 기울입니다. 나도 귀를 기울였습니다.

풍금 소리!

그 풍금 소리는 분명 안방에서 흘러나오는 것이었습니다.

"엄마가 풍금 타나 부다."

하고 나는 벌떡 일어나서 안으로 뛰어 들어갔습니다. 안방에는 불을 켜지 않았습니다. 그러나 그 때는 음력으로 보름께나 되어서 달이 낮같이 밝은데 은빛 같은 흰 달빛이 방 한 절반 가득히 차 있었습니다. 나는 그 흰 옷을 입은 어머니가 풍금 앞에 앉아서 고요히 풍금을 타는 것을 보았습니다.

　나는 나이 지금 여섯 살밖에 안 되었지마는 하여튼 어머니가 풍금을 타시는 것을 보는 것은 오늘이 처음이었습니다. 어머니는 우리 유치원 선생님보다도 풍금을 더 잘 타시는 것이었습니다. 나는 어머니 곁으로 갔습니다마는 어머니는 내가 곁에 온 것도 깨닫지 못하는지 그냥 까딱 아니하고 풍금을 탔습니다. 조금 있더니 어머니는 풍금 곡조에 맞추어서 노래를 부르기 시작하였습니다. 어머니의 목소리가 그렇게도 아름다운 것도 나는 이 때까지 모르고 있었습니다. 어머니는 참으로 우리 유치원 선생님보다도 목소리가 훨씬 더 곱고 또 노래도 훨씬 더 잘 부르시는 것이었습니다. 나는 가만히 서서 어머님 노래를 들었습니다. 그 노래는 마치도 은실을 타고 별나라에서 내려오는 노래처럼 아름다웠습니다. 그러나 얼마 오래지 않아 목소리는 약간 떨리기 시작하였습니다. 가늘게 떨리는 노랫소리, 그에 따라 풍금의 가는 소리도 바르르 떠는 듯했습니다. 노랫소리는 차차 가늘어지더니 마지막에는 사르르 없어져 버렸습니다. 풍금 소리도 사르르 없어졌습니다. 어머니는 고요히 일어나시더니 옆에 섰는 내 머리를 쓰다듬었습니다. 그 다음 순간 어머니는 나를 안고 마루로 나오셨습니다. 어머니는 아무 말씀도 없이 그냥 꼭꼭 껴안는 것이었습니다. 달빛을 함빡 받은 내 어머니 얼굴은 몹시도 새하얗다고 생각하였습니다.

　우리 어머니의 새하얀 두 뺨 위로 쉴새없이 두 줄기 눈물이 줄줄 흘러내리고 있는 것을 나는 보았습니다. 그것을 보니 나도 갑자기 울고 싶어졌습니다.

"어머니 왜 울어?"

하고 나도 훌쩍거리면서 물었습니다.

"응."

한참 동안 어머니는 아무 말씀도 없었습니다. 그러나 한참 후에,

"옥희야, 너 하나문 그뿐이다."

"엄마."

어머니는 다시 대답이 없으셨습니다.


하루는 밤에 아저씨 방에서 놀다가 졸려서 안방으로 들어오려고 일어서니까 아저씨가 하얀 봉투를 서랍에서 꺼내어 내게 주었습니다.

"옥희, 이거 갖다가 엄마 드리고 지나간 달 밥값이라구, 응."

나는 그 봉투를 갖다가 어머니에게 드렸습니다. 어머니는 그 봉투를 받아들자 갑자기 얼굴이 파랗게 질렸습니다. 그 전날 달밤에 마루에 앉았을 때보다도 더 새하얗다고 생각되었습니다. 어머니는 그 봉투를 들고 어쩔 줄을 모르는 듯이 초조한 빛이 되었습니다. 나는,

"그거 지나간 달 밥값이래."

하고 말을 하니까 어머니는 갑자기 잠자다 깨는 사람처럼 응? 하고 놀라더니 또 금시에 백지장같이 새하얗던 얼굴이 발갛게 물들었습니다. 봉투 속으로 들어갔던 어머니의 파들파들 떨리는 손가락이 지전을 몇 장 끌고 나왔습니다. 어머니는 입술에 약간 웃음을 띠면서 후 하고 한숨을 내쉬었습니다. 그러나 그것도 잠깐, 다시 어머니는 무엇에 놀랐는지 흠칫하더니 금시에 얼굴이 다시 새하얘지고 입술이 바르르 떨렸습니다. 어머니의 손을 바라다 보니 거기에는 지전 몇 장 외에 네모로 접은

하얀 종이가 한 장 접혀 있는 것이었습니다.

어머니는 한참을 망설이는 모양이었습니다. 그러더니 무슨 결심을 한 듯이 입술을 악물고 그 종이를 차근차근 펴 들고 그 안에 쓰인 글을 읽었습니다. 나는 그 안에 무슨 글이 씌어 있는지 알 도리가 없었으나 어머니는 그 글을 읽으면서 금시에 얼굴이 파랬다 빨갰다 하더니 그 종이를 든 손은 이제는 바들바들이 아니라 와들와들 떨리어서 그 종이가 부석부석 소리를 내게 되었습니다.

한참 후에 어머니는 그 종이를 아까 모양으로 네모지로 접어서 돈과 함께 봉투에 도로 넣어 반짇그릇에 던졌습니다. 그리고는 정신나간 사람처럼 멀거니 앉아서 전등만 쳐다보는데, 어머니 가슴이 불룩불룩합니다. 나는 어머니가 혹시 병이나 나지 않았나 하고 염려가 되어서 얼른 가서 무릎에 안기면서,

"엄마, 잘까?"

하고 말했습니다.

엄마는 내 뺨에 입을 맞추어 주었습니다. 그런데 어머니의 입술이 어쩌면 그리도 뜨거운지요. 마치 불에 달군 돌이 볼에 와 닿는 것 같았습니다.

한참을 자고 나서 잠이 채 깨지는 않았으나 어렴풋한 정신으로 옆을 쓸어 보니 어머니가 없었습니다. 가끔 가다가 나는 그런 버릇이 있어요. 어렴풋한 정신으로 옆을 쓸면 어머니의 보드라운 살이 만져지지요. 그러면 다시 나는 잠이 들어 버리곤 하는 것이었습니다.

어머니가 자리에 없다는 것을 알게 되자 나는 갑자기 무서워졌습니다. 그래서 잠은 다 달아나고 눈을 번쩍 뜨고 고개를 돌려 살펴보았습니다. 방 안에는 불을 안 켰지만 어슴푸레하게 밝습니다. 뜰로 하나 가득한 달빛이 방 안에까지 희미한 밝음을 던져 주는 것이었습니다. 윗목

을 보니, 아버지의 옷을 넣어 두고 가끔 어머니가 꺼내서 쓸어 보시는 그 장롱문이 열려 있고, 그 아래 방바닥에는 흰옷이 한무더기 널려 있습니다.

그리고 그 옆에는 장롱에 반쯤 기대고 자리옷만 입은 어머니가 주춤하고 앉아서 고개를 위로 쳐들고 눈을 감고 무엇이라고 입술로 소곤소곤 외고 있는 것이 보였습니다. 아마 기도를 하나 보다 하고 나는 생각했습니다. 나는 자리에서 일어나서 기어가서 어머니 무릎을 뻐개고 기어 들어갔습니다.

"엄마, 무얼 해?"

어머니는 소곤거리기를 그치고 눈을 떠서 나를 한참이나 물끄러미 들여다보십니다.

"옥희야."

"응?"

"가서 자자."

"엄마두 같이 자."

"응, 그래 엄마두 같이 자."

그 목소리가 어쩨 싸늘하다고 내게 생각되었습니다.

어머니는 돌아가신 아버지의 옷들을 한 가지씩 들고서 가만히 손바닥으로 쓸어 보고는 장롱 안에 넣었습니다. 하나씩하나씩 쓸어 보고는 장롱에 넣곤 하여, 그 옷을 다 넣은 때 장롱문을 닫고 쇠를 채우고 그러고 나서 나를 안고 자리로 돌아왔습니다.

"엄마 우리 기도하고 자?"

하고 나는 물었습니다. 어머니는 나를 밤마다 재워 줄 때마다 반드시 기도를 하는 것이었습니다. 내가 할 줄 아는 기도는 주기도문뿐이었습니다. 그 뜻은 하나도 모르지만 어머니를 따라서 자꾸자꾸 해 보아서 지금에는 나도 주기도문을 잘 외웁니다. 그런데 웬일인지 어젯밤 잘 때에는 어머니가 기도할 것을 잊어버리고 그냥 잤던 것이 지금 생각이 났기 때문에 나는 그렇게 물었던 것입니다. 어젯밤 자리에 들 때, 내가,

"기도할까?"

하고 말하고 싶었으나 어머니가 너무도 슬픈 빛을 띠고 있는 고로 그만 나도 가만히 아무 소리 없이 잠이 들고 말았던 것입니다.

"응, 기도하자."

하고 어머니가 고요히 기도했습니다.

"어머니가 기도해."

하고 나는 갑자기 어머니의 기도하는 보드라운 음성이 듣고 싶어져서 말했습니다.

"하늘에 계신 우리 아버지시여."

어머니는 고요히 기도를 시작하였습니다.

"이름을 거룩하게 하옵시며 나라에 임하옵시며 뜻이 하늘에서 이루어진 것처럼 땅에서도 이루어지이다. 오늘날 우리에게 일용할 양식을 주옵시고 우리가 우리에게 죄지은 자를 용서하여 준 것처럼 우리 죄를 사하여 주옵시고, 우리를 시험에 들지 말게 하옵시고…… 우리를 시험에 들지 말게 하옵시고…… 시험에 들지 말게…… 시험에 들지 말게……."

이렇게 어머니는 자꾸 되풀이하였습니다. 나도 지금은 막히지 않고 줄줄 외는 주기도문을 글쎄 어머니가 막히다니 참으로 우스운 일이었습니다.

"시험에 들지 말게…… 시험에 들지 말게……."

하고 자꾸만 되풀이하는 것을 나는 참다못해서,

"엄마, 내 마저 할게."

하고,

　"다만 악에서 구하옵소서. 대개 나라와 권세와 영광이 아버지께 영원
　히 있사옵니다."

하고 내가 끝을 마쳤습니다. 어머니는 한참이나 가만 있다가 오랜 후에
야 겨우,

　"아멘."

하고 속삭이었습니다.


　요새 와서 어머니의 하는 일이란 참으로 알 수가 없는 노릇입니다.
어떤 때는 어머니도 퍽 유쾌하셨습니다. 밤에 때로는 풍금도 타고 또
때로는 찬송가도 부르고 그러실 때에는 나는 너무도 좋아서 가만히 어
머니 옆에 앉아서 듣습니다. 그러나 가끔가끔 그 독창은 소리 없는 울
음으로 끝맺는 때가 많은데 그럴 때면 나도 따라서 울었습니다. 그런데
어머니는 나를 안고 내 얼굴에 돌아가면서 무수히 입을 맞추어 주면서,

　"엄마는 옥희 하나문 그뿐이야. 응, 그렇지……."

하시면서 언제까지나 언제까지나 우시는 것이었습니다.

　어떤 일요일날, 그렇지요, 그것은 유치원 방학하고 난 그 이튿날이었
어요. 그 날 어머니는 갑자기 머리가 아프시다고 예배당에를 그만두었
습니다. 사랑에서는 아저씨도 어디 나가고 외삼촌도 나가고 집에는 어
머니와 나와 단둘이 있었는데, 머리가 아프다고 누워 계시던 어머니가
갑자기 나를 부르시더니,

　"옥희야, 너 아빠가 보고 싶니?"

하고 물으십니다.

　"응, 우리두 아빠 하나 있으문."

　나는 혀를 까불고 어리광을 좀 부려 가면서 대답을 했습니다. 한참

동안을 어머니는 아무 말씀도 아니하시고 천장만 바라보시더니,

"옥희야, 옥희 아버지는 옥희가 세상에 나오기 전에 돌아가셨단다. 옥희두 아빠가 없는 건 아니지. 그저 일찍 돌아가셨지. 옥희가 이제 아버지를 새로 또 가지면 세상이 욕을 한단다. 옥희는 아직 철이 없어서 모르지만 세상이 욕을 한단다. 사람들이 욕을 해. 옥희 어머니는 화냥년이다, 이러구 세상이 욕을 해. 옥희 아버지는 죽었는데 옥희 아버지가 또 하나 생겼대, 참 망측두 하지. 이러구 세상이 욕을 한단다. 그리 되문 옥희는 언제나 손가락질 받구. 옥희는 커두 시집두 훌륭한 데 못 가구. 옥희가 공부를 해서 훌륭하게 돼두 어 그까짓 화냥년의 딸, 이러구 남들이 욕을 한단다."

이렇게 어머니는 혼잣말하시듯 드문드문 말씀하셨습니다. 그리고는 한참 있더니

"옥희야."

하고 또 부르십니다.

"응?"

"옥희는 언제나, 언제나, 내 곁을 안 떠나지. 옥희는 언제나 언제나, 엄마하구 같이 살지. 옥희는 엄마가 늙어서 꼬부랑할미가 되어두 그래도 옥희는 엄마하구 같이 살지. 옥희가 유치원 졸업하구 또 소학교 졸업하구, 또 중학교 졸업하구 또 대학교 졸업하구, 옥희가 조선서 제일 훌륭한 사람이 돼두 그래두 옥희는 엄마하구 같이 살지. 응! 옥희는 엄마를 얼만큼 사랑하나?"

"이만큼."

하고 나는 두 팔을 짝 벌리어 보였습니다.

"응? 얼만큼? 응! 그만큼! 언제나, 언제나, 옥희는 엄마만 사랑하지. 그리구 공부두 잘하구, 그리구 훌륭한 사람이 되구……."

나는 어머니의 목소리가 떨리는 것으로 보아 어머니가 또 울까 봐 겁이 나서,

"엄마, 이만큼 이만큼."

하면서 두 팔을 짝 벌리었습니다.

어머니는 울지 않으셨습니다.

"응, 그래, 옥희 엄마는 옥희 하나문 그뿐이야. 세상 다른 건 다 소용없어, 우리 옥희 하나문 그만이야. 그렇지, 옥희야?"

"응!"

어머니는 나를 당기어서 꼭 껴안아 내 가슴이 막혀 들어올 때까지 자꾸만 껴안아 주었습니다.

그날 밤 저녁밥 먹고 나니까 어머니는 나를 불러 앉히고 머리를 새로 빗겨 주었습니다. 댕기도 새 댕기를 드려 주고, 바지, 저고리, 치마 모두 새것을 꺼내 입혀 주었습니다.

"엄마, 어디 가?"

하고 물으니까,

"아니."

하고 웃음을 띠면서 대답합니다. 그러더니 새로 다린 하얀 손수건을 내리어 내 손에 쥐어 주면서,

"이 손수건, 저 사랑 아저씨 손수건인데, 이것 아저씨 갖다 드리고 와, 응. 오래 있지 말구 손수건만 갖다 드리구 이내 와, 응."

하고 말씀하셨습니다.

손수건을 들고 사랑으로 나가면서 나는 접어진 손수건 속에 무슨 발각발각하는 종이가 들어 있는 것처럼 생각되었습니다마는 그것을 펴 보지 않고 그냥 갖다가 아저씨에게 주었습니다.

아저씨는 방에 누워 있다가 벌떡 일어나서 손수건을 받는데 웬일인지

아저씨는 이전처럼 나보고 빙그레 웃지도 않고 얼굴이 몹시 파래졌습니다. 그리고는 입술을 질근질근 깨물면서 말 한 마디 아니하고 그 수건을 받더군요.

나는 어째 이상한 기분이 들어서 아저씨 방에 들어가 앉지도 못하고 그냥 되돌아서 안방으로 도로 왔지요. 어머니는 풍금 앞에 앉아서 무엇을 그리 생각하는지 가만히 있더군요. 나는 풍금 옆으로 가서 가만히 그 옆에 앉아 있었습니다. 이윽고 어머니는 조용조용히 풍금을 타십니다. 무슨 곡조인지는 몰라도 어째 구슬프고 고즈넉한 곡조야요.

밤이 늦도록 어머니는 풍금을 타셨습니다. 그 구슬프고 고즈넉한 곡조를 계속하고 또 계속하면서.

여러 밤을 자고 난 어떤 날 오후에 나는 오래간만에 아저씨 방엘 나가 보았더니 아저씨가 짐을 싸느라고 분주하겠지요. 내가 아저씨에게 손수건을 갖다 드린 다음부터는 웬일인지 아저씨가 나를 보아도 언제나 퍽 슬픈 사람, 무슨 근심이 있는 사람처럼 아무 말도 없이 나를 물끄러미 바라다만 보고 있는 고로 나도 그리 자주 놀러 나오지 않았던 것입니다. 그랬었는데 이렇게 갑자기 짐을 꾸리는 것을 보고 나는 놀랐습니다.

"아저씨, 어데 가우?"

"응, 멀리루 간다."

"언제?"

"오늘."

"기차 타구?"

"응, 기차 타구."

"갔다가 언제 또 오우?"

아저씨는 아무 대답도 없이 서랍에서 이쁜 인형을 하나 꺼내서 내게 주었습니다.

"옥희, 이것 가져, 응. 옥희는 아저씨 가구 나문 아저씨 이내 잊어버리구 말겠지!"

나는 갑자기 슬퍼졌습니다. 그래서,

"아니."

하고 얼른 대답하고 인형을 안고 안으로 들어왔습니다.

"엄마. 이것 봐. 아저씨가 이것 나 줬다우. 아저씨가 오늘 기차 타구 먼 데루 간대."

하고 내가 말했으나 어머니는 대답이 없으십니다.

"엄마, 아저씨 왜 가우?"

"학교 방학했으니깐 가지."

"어디루 가우?"

"아저씨 집으루 가지 어디루 가."

"갔다가 또 오우?"

어머니는 대답이 없으십니다.

"난 아저씨 가는 거 나쁘다."

하고 입을 쫑긋했으나 어머니는 그 말에 대답 않고,

"옥희야, 벽장에 가서 달걀 몇 알 남았나 보아라."

하고 말씀하셨습니다.

나는 깡충깡충 방 안으로 들어갔습니다. 달걀은 여섯 알이었습니다.

"여스 알."

하고 나는 소리쳤습니다.

"응, 다 가지고 이리 나오너라."

어머니는 그 달걀 여섯 알을 다 삶았습니다. 그 삶은 달걀 여섯 알을 손수건에 싸 놓고 또 반지에 소금을 조금 싸서 한 귀퉁이에 넣었습니다.

"옥희야, 너 이것 갖다 아저씨 드리구, 가시다가 찻간에서 잡수시랜다구, 응."

그 날 오후에 아저씨가 떠나간 다음, 나는 방에서 아저씨가 준 인형을 업고 자장자장 잠을 재우고 있었습니다. 어머니가 부엌에서 들어오시더니,

"옥희야, 우리 뒷동산에 바람이나 쐬러 올라갈까?"
하십니다.

"응, 가, 가."
하면서 나는 좋아 덤비었습니다.

잠깐 다녀올 터이니 집을 보고 있으라고 외삼촌에게 이르고 어머니는 내 손목을 잡고 나섰습니다.

"엄마, 나, 아저씨가 준 인형 가지고 가?"

"그러렴."

나는 인형을 안고 어머니 손목을 잡고 뒷동산으로 올라갔습니다. 뒷동산을 올라가면 정거장이 빤히 내려다보입니다.

"엄마, 저 정거장 봐. 기차는 없군."

어머니는 아무 말씀도 없이 가만히 서 계십니다. 사르르 바람이 와서 어머니 모시 치맛자락을 산들산들 흔들어 주었습니다. 그렇게 산 위에 가만히 서 있는 어머니는 다른 때보다도 더 한층 이쁘게 보였습니다.

저편 산모퉁이에서 기차가 나타났습니다.

"아, 저기 기차 온다."

하고 나는 좋아서 소리쳤습니다.

기차는 정거장에 잠시 머물더니 금시에 삑 하고 소리를 지르면서 움

직였습니다.

"기차 떠난다."

하면서 나는 손뼉을 쳤습니다. 기차가 저편 산모퉁이 뒤로 사라질 때까지, 그리고 그 굴뚝에서 나는 연기가 하늘 위로 모두 흩어져 없어질 때까지, 어머니는 가만히 서서 그것을 바라다보았습니다.

뒷동산에서 내려오자 어머니는 방으로 들어가시더니 이 때까지 뚜껑을 늘 열어 두었던 풍금 뚜껑을 닫으십니다. 그리고는 거기 쇠를 채우고 그 위에다가 이전 모양으로 반짇그릇을 얹어 놓으십니다. 그리고는 그 옆에 있는 찬송가를 맥없이 들고 뒤적뒤적하시다가 빼빼 마른 꽃송이를 그 갈피에서 집어내시더니,

"옥희야, 이것 내다 버려라."

하고 그 마른 꽃을 내게 주었습니다. 그 꽃은 내가 유치원서 갖다가 어머니께 드렸던 그 꽃입니다. 그러자 옆 대문이 삐걱하더니,

"달걀 사소."

하고 매일 오는 달걀 장수 노파가 달걀 광주리를 이고 들어왔습니다.

"인젠 우리 달걀 안 사요. 달걀 먹는 이가 없어요."

하시는 어머니 목소리는 맥이 한푼어치도 없었습니다.

나는 어머니의 이 말씀에 놀라서 떼를 좀 써 보려 했으나, 석양에 빤히 비치는 어머니 얼굴을 볼 때 그 용기가 없어지고 말았습니다. 그래서 아저씨가 주신 인형 귀에다가 내 입을 갖다 대고 가만히 속삭이었습니다.

"애, 우리 엄마가 거짓부리 썩 잘 하누나. 내가 달걀 좋아하는 줄 잘 알문성 생 먹을 사람이 없대누나. 떼를 좀 쓰고 싶다만 저 우리 엄마 얼굴을 좀 봐라. 어쩌문 저리두 새파래졌을까? 아마 어데가 아픈가 보다."

라고요.

# 아네모네 마담

티룸 '아네모네'에 마담으로 있는 영숙이가 귀고리를 두 귀에 끼고 카운터 뒤에 나타난 날, '아네모네' 단골 손님들은 영숙이가 머리를 움직일 때마다 한들한들 춤을 추는 그 자줏빛 귀고리의 아름다움에 탄복하였다. 아니, 그보다도 그 귀고리가 가져온 영숙이 자신의 아름다움에 황홀하였다.

"아, 고것이 귀고리를 달구 나서니 아주 사람을 죽이네그랴."

하고 한편 구석에서 차를 마시다 말고 수군거리는 사람도 있고,

"어, 마담이 아주 귀고리루 한층 더 뛰서 귀부인이 됐는걸 허허허……."

하고 크게 웃는 사람도 있고, 양주 두어 잔에 얼굴이 붉어진 신사 한 분은 돈을 치르러 와 가지고,

"그 귀고리 참 곱다."

하면서 귀고리를 만지는 체하며 영숙의 매끈한 뺨을 슬쩍 만지는 것이었다.

오늘 영숙의 가슴은 사탕 도둑질해 먹다가 들킨 어린아이 가슴처럼 죄이고 불안스러웠다. 그는 몇 번이나 변소로 들어가서 콤팩트를 꺼내 그 똥그란 면경에 비치는 얼굴, 아니 그 귀고리를 보고 또 보았다. 카운터 뒤에 나서 있는 때에도 크게나 작게나 손님들이 귀고리에 대해서 무

슨 말이고 하는 것이 들릴 때마다 그는 그 한들한들하는 귀고리를 손으로 어루만지었다. 그리고 거리로 통한 출입문이 열릴 때마다 그의 얼굴은 금시로 홍당무같이 빨개지고 두 손끝이 바르르 떠는 것이었다.

문이 열릴 때마다 가슴이 내려앉는 것 같았다. 그는 기다리는 것이었다. 마치 자기 일생에 가장 큰 운명을 지배할 사건이 그 문을 열고 들어설 때를 기다리는 것처럼 조바심이 되는 것이었다.

문이 열릴 때마다 무슨 무서운 것이나 예기하는 사람처럼 힐끗 그 쪽을 바라다보는 것이었다. 바로도 못 바라다보고 힐끗 곁눈으로 도둑질해 보는 것이었다.

문이 방시시 열렸다. 시꺼먼 사각모가 먼저 나타났다. 이어서 사각모 아래로 어떤 창백한 얼굴이 보였다. 문을 조심스레 미는 손이 보였다. 전문학교 학생의 제복이 보였다. 그 순간 영숙은 가슴이 내려앉았다. 그는 도망을 가듯이 고개를 숙이고 카운터 뒤로 뚫린 판장문 밖으로 나갔다. 귀고리가 판장문에 부딪히어서 옥을 굴리는 듯한 쨍그렁 소리가 났다. 물론 그 소리는 영숙이 혼자서만 들을 수 있었다.

그 뒤는 바로 부엌이었다. 영숙이는 차 끓이는 화덕 앞을 지나 변소로 또 들어갔다. 변소문을 안으로 잠그고 그는 잠시 두 손을 가슴에 대고 오도카니 서 있었다.

'어떡할까?'

하고 그는 스스로 물었다. 그는 콤팩트를 꺼내서 그 조그만 면경에 비친 콧잔등을 들여다보았다. 그는 무의식하게 분가루를 콧잔등에 두세 번 찰싹찰싹 두드리었다. 그러나 그가 콤팩트 면경을 꺼낸 목적은 거기 있는 것은 아니었다. 그는 살짝 고개를 돌려 똥그란 면경 앞에 나타나는 귀고리를 보았다. 귀고리가 한들한들 떨리었다.

'고만 빼고 말까?'

하고 그는 생각하였다.

그 순간, 그러나 그는 결심한 듯이 콤팩트를 핸드백 속에 홱 집어넣고 살그머니 카운터 뒤로 기어나왔다. 그는 고요히 찻점 안을 휘둘러보았다. 역시 저어편 그 구석 자리에 그 학생은 와 앉아 있는 것이었다. 언제나와 마찬가지로 그 학생은 지금 영숙이를 정면으로 바라보고 있는 것이었다. 그 언제나 무엇을 열망하는 듯한, 열정에 타고 넘치는 듯한 그 눈모습으로!

영숙이는 얼굴이 화끈 다는 것을 인식했다. 그러나 귀 밑에 달린 귀고리가 찰싹찰싹 뺨을 스치는 것도 인식하였다. '귀고리가 차기도 차다.' 하고 그는 생각하였다.

축음기 소리판에서는 '뚜뚜르두두, 뚜뚜르두두' 하고 박자 잰 재즈가 숨이 찰 듯이 쏟아져 나왔다. 영숙이는 빨개진 자기 얼굴을 어둠 속에 감추고 서서 소리판을 한 장씩 한 장씩 골라내고 있었다. 여러 장을 제치고 나서 영숙이는 소리판 한 장을 들고 물끄러미 들여다보았다.

이 소리판 한 장! 영숙이에게 이상스러운 인연을 가져다 준 소리판 한 장이었다.


그것은 아마 약 한 달 전 일이었다. 하아얀 저고리를 입은 보이가 한 벌 접은 하아얀 종이를 영숙에게 전해 주던 것이! 그리고 보이는 고갯짓으로 저어편 한구석에 혼자 앉아 있는 어떤 제복 입은 학생을 가리키었다. 그 학생을 바라다본 영숙이의 첫인상이 '몹시도 창백한 얼굴'이었다. 그 창백한 얼굴에서 발사되는 두 개의 시선, 그것이 영숙이를 이상스런 감정으로 인도하는 것이었다. 그 두 눈은 뚫어질 듯이 영숙이를 응시하는 것이었다. 그 눈 모습은 마치 몹시 사랑하는 애인을 건너다보는 순결하고도 열정에 찬 그러한 눈이었다.

영숙이는 얼른 그 시선을 피하면서 종이를 펴 들었다. 그 때 영숙이 가슴속에서는 무엇이 털썩 소리를 내고 떨어지는 듯싶었다. 그러나,

'슈베르트의 〈미완성 교향악〉을 한 장 틀어 주시면 고맙겠습니다.'

오직 이것이었다. 영숙이는 다시 그 학생을 건너다보았다. 역시 열정에 찬 두 눈이 영숙이를 집어삼킬 듯이 바라보고 있는 것이었다. 영숙이는 그 소리판을 찾아서 축음기 위에 걸어 놓았다.

심포니의 조화된 멜로디가 담배 연기로 자욱한 방 안 구석구석에 울릴 때 그 학생은 잠시 빙그레 웃었다. 그 웃음은 얼굴이 창백한 탓이었던지 어째 몹시 구슬픈, 고적한 미소였다. 그러나 그 다음 순간 그 학생은 눈을 스르르 감았다.

영숙이에게는 이 학생의 얼굴은 어디서 한두 번 보았던 듯한 낯익은 얼굴이었다. 어디서 보기는 분명 보았는데 언제 어디서인지를 꼭 집어낼 수 없는 그러한 어슴푸레한 기억이었다. 아마도 그 학생이 찻집에를 더러 왔을 테니까 아마 이전에 무심히 몇 번 보았을 것이었다. 그러나 그 학생의 얼굴이 그렇게 창백하고 그 두 눈이 그렇게 열정과 애수에 차 있는 것은 이날 밤 비로소 처음 보는 듯싶었다.

영숙이는 가끔 곁눈으로 이 학생을 보았으나 그 학생의 마음은 심포니의 음악을 타고 허공으로 떠돌아다님인지 그는 눈을 감은 채 죽은 듯이 앉아 있었다. 소리판 한 면이 다 끝나고 스르르 턱 하고 멎자 그 학생은 눈을 번쩍 떴다. 영숙이는 얼른 외면을 하고 축음기 바늘을 바꾸어 끼웠다.

그날 저녁 이후에 서너 번이나 영숙이는 보이를 통하여 그 창백한 얼굴의 소유자로부터 편지를 받았다.

'슈베르트의 〈미완성 교향악〉'

오직 이 문구 하나뿐이었다.

그 학생은 매일 왔다. 매일 저녁 아홉 시쯤 되면 와서는 꼭 한구석에 마치 자기가 정해 논 자리라는 듯이 그 자리에 가 앉아서 홍차 한 잔 마시고는 두 시간 가량 앉아서는 정해 놓고 영숙이를 바라다보는 것이었다. 세상에 다른 아무 존재도 없이, 오직 영숙이만 있다는 듯이 그 두 눈은 영숙이를 바라다보는 것이었다. 애정과 욕망과 정열에 가득 찬 눈이었다. 그런데 영숙이는 첫날부터 이 시선이 반가운 것을 감각한 것이다. 어떤 때는 너무도 시선이 변치 않고 한곳에만 머물러 있는 것이 어째 남의 주의를 사게 되지 않을까 하여 염려되는 때도 있었으나, 그가 용기를 내어 그 학생 쪽으로 돌릴 때 잠시라도 그 학생의 시선이 딴 데로 옮겨진 것을 발견할 때는 어째 서운한 생각이 드는 것이었다.

어떤 날 밤에는 한번 그 학생이 들어오는 것을 보자 영숙이는 자진하여 〈미완성 교향악〉을 축음기에 걸어 놓았다. 역시 그 구석에 혼자 앉았던 그 학생은 이 낯익은 음악이 들려오자 잠시 빙그레 웃었다. 역시 그 어딘가 구슬픈 빛이 감추어져 있는 그런 웃음이었다. 영숙이는 얼굴뿐 아니라 제 전신이 빨갛게 물드는 것 같은 느낌을 얻었다. 혹 실없는 사내들이 가끔 농담을 걸기도 하고 돈 치르는 체하고 슬쩍 손목을 잡아 보기도 할 때에도 얼굴을 붉히지 않으리만큼 벌써 마담 생활에 익숙해진 영숙이었다. 그러나 이 말없는 시선 앞에서는 어쩐 일인지 전신이 수줍음으로 휩싸이는 것 같은 느낌을 억제할 수 없는 것이었다.

가끔 이 학생은 다른 학생 하나와 둘이서 올 때도 있었다. 둘이 와서도 그들은 남들처럼 이야기를 하지도 않고 둘이 다 벙어리 모양으로 우두커니 앉아서 한 학생은 담배를 피우며 천장이나 바라다보고 있고, 이 학생은 역시 영숙이만 바라다보는 것이었다. 그러다가 〈미완성 교향악〉이 나오면 그는 역시 잠시 빙그레 웃을 뿐이었다. 이 빙그레 웃는 모양을 보면 영숙이는 몹시 기쁘기도 하고 몹시 슬프기도 한 야릇한 감정을

맛보는 것이었다. 그래서 이 빙그레 웃는 구슬픈 미소를 보기 위하여 어떤 날 밤에는 영숙이는 〈미완성 교향악〉을 세 번, 네 번씩 걸어 놓기도 하였다.

그 학생은 그렇게도 영숙이를 열정에 찬 눈으로 바라다보면서도 한 번도 다른 사람들처럼 영숙이와 수작을 건네 보는 일은 없었다. 아니, 카운터에도 가까이 오는 일이 일절 없었다. 찻값도 반드시 보이에게 물고 가고 한 번도 친히 카운터에 와서 내는 법이 없었다.

영숙이는 그 학생의 이름도 기실 모르는 것이었다. 그러나 웬일인지 그 학생과 평범한 이야기라도 한 마디 주고받았으면 하는 욕망이 걷잡을 새 없이 끓어오르는 때가 가끔 있었다.

'왜 사내가 저렇게 용기가 없을까! 슈베르트의 〈미완성 교향악〉만 자꾸 써 보내지 말구, 내일 오후 두 시에 아무 데서 좀 만날 수 없을까요? 이렇게 왜 좀 못 써 보낸담?'

하고 혼자 야속스럽게 생각한 때도 가끔 있었다. 사실 영숙이는 여러 사나이에게서, 좀 만나자는 둥, 사랑의 여신이라는 둥, 나의 천사라는 둥 하는 문구를 늘어놓은 편지를 많이 받았다. 그러나 그는 한 번도 그 사나이들과 조용히 만나 본 일은 없었다. 그런데도 만일 이 이름도 모르는 학생이 그런 편지를 한 번만 보내 준다면 그는 곧 춤이라도 출 듯 싶었다.

요새 와서는 무슨 일인지 이 학생은 〈미완성 교향악〉이 나오기만 하면 곧 상 위에 두 팔을 올려놓고 그 속에 머리를 파묻고 죽은 듯이 엎디어 있는 것을 가끔 본 일이 있었다. 어쩐 일인지 영숙이에게는 이 학생이 그처럼 엎디어서는 소리없이 울고 있는 것이라고 생각되는 것이었다. 소위 제 육감이라고 할까, 하여튼 그 학생은 남에게 말 못하는 무슨 고민과 슬픔을 품고 있는 것이라고만 영숙에게는 생각되었다. 그리고 그 고민의 원인이 영숙이 자신에게 있는 것이 아닐까 하고 생각되어서 퍽이나 송구스럽고 번민되는 것이었다.

　'왜 나한테 모든 것을 털어놓고 이야길 못할꼬?'
하고 영숙이는 가끔 초조하고 원망스런 눈으로 그 학생을 바라다보곤 하는 것이었다.

　영숙이는 자기 자신도 인식하지 못하는 가운데 자연히 몸맵시에 대하여 더 한층 주의를 하게 되었다. 그리고 어떻게 하면 이 학생과 잠시라도 이야기를 해 볼 도리가 없을까 하고 궁리궁리하던 끝에 마침내 이 귀고리를 사서 달고 나선 것이었다. 귀고리를 끼고 나서면 조선서는 흔치 않은 일이라 필연코 그 학생도 '귀고리가 곱다' 라든가, '얼굴과 어울린다' 라든가 하는 무슨 말이고 건네어 보게 될 것을 바랐던 것이다.

　영숙이는 지금 자기가 골라 든 〈미완성 교향악〉 소리판을 들고 방금 뱅글뱅글 돌고 있는 재즈가 끝나기를 기다리었다. 그 학생은 웬일인지 오늘 밤에는 벌써부터 상 위에 올려놓은 두 팔 속에 머리를 파묻고 엎디어 있는 것이었다. 그와 함께 온 다른 학생은 담배를 피워물고 앉아서 옆에 엎드린 친구를 무슨 불쌍한 동물이나 바라보듯이 딱한 표정으로 바라다보는 것이었다.

　'자기 자신이 용기가 없으면 저 학생을 통해서라도 내게 말 한 마디만 해 주면 될 것을!'
하고 영숙이는 그 학생의 행동이 안타깝게 생각되었다.

　그 때, 온 방 안 공기를 쩌렁쩌렁 울리던 재즈 소리가 뚝 끊이고 스르르스르르 턱 하더니 축음기가 멎었다. 영숙이는 바늘을 갈아 끼우고 재즈 판을 들어내 놓고 〈미완성 교향악〉을 걸었다. 그 학생이 인제 자기를 바라다보며 빙그레 웃을 그 창백한 얼굴을 연상하면서 영숙이는 판을 돌리고 그 위에 바늘을 얹어 놓았다.

곱고 조화된 음률이 방 안을 가득 채웠다. 영숙이는 고개를 돌려 그 학생을 바라다보았다. 귀고리가 찰싹찰싹 그의 뺨을 스치었다.──귀고리가 매끄럽기도 매끄럽다 하고 그는 생각하였다.

웬일일까? 그 학생은 빙그레 웃어 보이기는커녕 두 팔 새에 파묻은 얼굴을 들지도 않는 것이었다. 영숙이는 이해할 수 없어서 멀거니 그 학생 쪽을 바라다보고 서 있었다.

잠시 동안의 시간이 흘렀다. 심포니의 음률은 방 안 구석구석을 신비경으로 변화시키는 것처럼 우아하고 신비스러웠다.

그러자──.

그것은 마치 일종의 벼락처럼밖에 생각되지 않았다. 영숙이는 그 때 그 순간에 돌발한 괴이한 사건을 순서적으로 기억할 수는 없었다.

"그 때 그래 무슨 일이 생겼어?"

하고 누가 물으면 영숙이는 도무지 그 갈피를 찾아서 이야기할 수가 없을 것이다. 도무지 예기치 못했던 돌발 사건이 생기는 때 사람의 신경은 놀라고 떨리어서 그 사건 진행의 참된 모양을 순서적으로 기억할 수는 없게 되는 것이다.

하여튼 영숙이가 맨 처음 본 바는 창백한 얼굴이었다. 상 위에서 번개처럼 휙 올라오는 창백한 얼굴이었다. 그리고는 그는 무슨 고함 소리를 들은 것처럼 기억되었다. 마치, 고막을 찢을 듯이 강렬한 무슨 외침이었다. 그 고함 소리가 무엇이라고 말했는지는 조금도 기억이 나지 않았다. 그 소리가 그 학생의 입에서 튀어나왔다는 것만은 기억이 되었다.

그리고 그 다음 순간, 영숙이는 카운터 앞에 우뚝 선 그 학생을 보았다. 성낸 호랑이처럼 씩씩거리는 그 숨소리를 똑똑히 들었다. 그러자 무엇이 와지끈하고 깨어졌다. 음악 소리는 뚝 끊기고 사람들의 비명 소리가 들리었다. 영숙이는 귀고리가 찰싹찰싹 뺨에 와서 스치는 것도 감각하지 못하리만큼 어안이 벙벙해지고 말았다.

그 뒤에는 한참 동안 혼란이 있었다. 사람들이 외치는 소리가 들리고 창백한 얼굴의 소유자와 함께 왔던 학생이 무엇이라고 온 방안을 향하여 몇 마디 소리를 지르고, 그리고는 영숙이보고도 무엇이라고 한두 마디 했지마는 영숙이는 그 말을 깨달아 들을 수가 없었다. 그리고 그 다음 순간, 영숙이는 한 학생에게 끌리어 문 밖으로 나가는 창백한 얼굴을 보았다.

한참 동안 와글와글 온 방 안이 끓었다. 영숙이는 넋을 잃은 사람처럼 교의 위에 한참을 주저앉아 있었다. 축음기에서 다시 음악 소리가 울려나오는 것을 듣고야 비로소 영숙이는 정신을 수습하였다. 카운터 위에는 보이가 주워서 올려놓은 깨어진 소리판이 여러 조각 놓여 있었다. 깨진 소리판은 슈베르트의 〈미완성 교향악〉이었다.


한 두어 시간쯤 뒤에 아까 창백한 얼굴의 소유자를 억지로 끌고 나갔던 그 학생이 혼자서 다시 왔다. 그는 방 안을 한번 휘 둘러보더니 카운터로 가까이 와서 카운터 위에 팔을 기대고 섰다. 마침 찻집 주인이 와 있었으므로 그 학생은 주인에게 소리판 값을 물었다.

"참으로 미안하게 됐습니다."
하고 그는 사과하였다. 아까 그 소란이 있을 때 앉았던 손님은 다 가고 새로 손님들이 들어온 고로 손님들은 아까 그 소란을 모르는 모양이었다. 그래서 아무도 이 학생의 이야기를 들으려 모여들지 않았다. 오직 보이만이 곁에 와 서서 귀를 기울였다.

"이야기를 대강이라도 들으시면 용서해 주실 줄 믿습니다. 아까 그 학생은 내 가까운 친구입니다. 아주 똑똑한 수재지요. 그런데 무슨 운명의 장난인지 그는 어떤 남편 있는 부인을 사랑하게 되었습니다."

이 때 영숙이는 가슴이 몹시도 들먹거리는 것을 감각하였다. 그는 고개를 축음기 쪽으로 돌리고 서서 이 학생의 말을 한 마디라도 놓치지 않으려고 바싹 귀를 기울였다.

"그 부인은 하필 다른 사람이 아니고 바로 우리 학교 교수 되는 이의 아내입니다. 언제 어디서 어떻게 기회가 되어서 서로 사랑하게 되었는지는 나도 잘 모릅니다. 또 지금 길게 이야기할 필요도 없겠지요. 하여튼 두 사람의 사랑은 순결하고 또 열렬하였습니다. 그러나 이러한 세상에 있어서 그 사랑은 언제까지나 비밀일 수밖에 없었습니다. 현 사회에서는 매음 같은 더러운 성관계는 인정하면서두, 집안 사정상 별로 달갑지 않은 혼인을 한 젊은 여인이 행이랄까 불행이랄까 남편 외의 딴 사람에게서 한 사람이 한 번만 가져 볼 수 있는 그 고귀한 첫사랑을 바칠 수 있는 대상을 발견할 때 우리 사회는 그것을 더럽다고 낙인해 버리고 조금두 용서치를 않으니까요! 그 사랑이 얼마나 순결하구, 얼마나 열렬한 것을 이해해 줄 수 있는 사회두 아니구, 또 이해해 보려구 하지두 않는 사회니까요. 더러운 기생 외입은 묵인하문서두 순결하구 고귀한 사랑은, 그 사랑의 대상이 한번 다른 사람과 결혼한 사람이라는 다못 한 가지 이유 하에 기생의 외입보담두 더 나쁜 일처럼 타매하구 비방하는 그런 우스운 사회니까요. 이거 설교가 너무 길어졌습니다."

새로 손님이 들어왔으므로 보이는 주문을 받으러 다녀와서 다시 가만히 서서 귀를 기울였다. 영숙이도 얼른 부엌으로 뚫린 조그만 문으로 커피 두 잔을 얼른 주문한 후 카운터에 몸을 기대고 서서 묵묵히 귀를 기울였다.

"두 분의 사랑은 퍽이나 불행했습니다. 더구나 약 한 달 전에 그 부인이 병환으로 병원에 입원을 하게 되었습니다. 떳떳한 사이 같으면야 아침부터라두 병원에 가서 살 수두 있으련만, 두 사람의 사이가 그쯤 되구 보니 어디 내놓구 문병인들 갈 수가 있나요? 만일 이 사회에서 조금이라두 이 연애 관계를 알게만 된다면, 이 사회는 통 떠들어 일어서서 그 부인을 무슨 파렴치한이나 되는 것처럼 타매할 것은 뻔한 일이니, 어디까지든지 두 분의 사랑은 비밀 속에 감추어 두지 않을 수 없는 처지였지요."

영숙이는 자기도 모르게 몸을 떨었다. 그리고는 교의 위에 사뿐 내려 앉아서 다시 귀를 기울이었다.

"문병두 한 번 못 가구 이 친구는 하루 종일 거리로 싸돌아다녔습니다. 아침마다 한 번씩 병원으루 전화를 걸어서 병의 차도나 물어보고 그리구는 타는 가슴을 움켜쥐구서 헤매는 것이었습니다. 밤이 되니 잠 한숨 잘 수 있겠습니까? 나는 그의 마음을 좀 붙잡어 보려구 이리 저리 많이 끌구 다녔지요. 그러다가 그 친구는 마침내 이 '아네모네'에 애착을 느끼게 되었답니다. 첫째 그는 여기서 슈베르트의 〈미완성 교향악〉을 들을 기회가 있는 데 기뻐한 것이지요. 그 친구의 말에 의하면 이 슈베르트의 〈미완성 교향악〉은 두 분 연인 사이에 가장 아름다운 추억을 실은 레코드인 모양입니다. 하루 종일 가슴속이 바작바작 타다가도 여기 와 앉어서 그 교향악 한 곡조를 듣고 있으면 지나간 날 아름다운 기억들이 마음속에 끓어오르고 마치 그 부인과 함께 어떤 아름다운 동산을 거닐고 있는 것 같은 그런 느낌을, 네, 잠시나마 그런 아름다운 환영 속에 취할 수 있고, 또 어쩐지 병도 그리 중하지 않고 곧 나아질 것처럼, 마치도 그 음악의 선율이 그 부인을 어루만져 병을 쾌차시킬 것 같은 그러한 환영에 잠겨진다구요. 또 그뿐 아니라 저기 저 그림!"

하고 말하면서 그 학생은 영숙이 등 뒤에 있는 벽을 가리키었다.

"저 그림은 그 유명한 '모나리자'가 아닙니까?"

영숙이는 힐끗 돌아다보았다. 거기에는 커어단 '모나리자' 그림이 걸려 있는 것이었다. 영숙이가 카운터 뒤에 서 있으면 바로 머리 뒤로 그 그림이 보일 것이었다. 영숙이는 또 한 번 몸을 떨었다. 귀 밑을 살짝살짝 스치는 귀고리가——따갑기도 하고나——하고 느껴지었다. 그 학생은 이야기를 계속하였다.

"그 친구는 저 모나리자를 바라다보기 위해 매일 여기 왔습니다. 교향악은 다른 찻집에서도 들을 수 있지마는 저 모나리자를 걸어 논 집은 이 서울 장안에 여기 한 곳밖에 없으니까요."

부엌에서 차가 나왔다. 영숙이는 그 차를 보이에게 넘겨 주고 또다시 교의에 말없이 앉았다.

"'모나리자'! 그 친구는 자기 애인을 모나리자라고 불렀답니다. 애인의 얼굴이 저 그림과 같은 것은 아닙니다. 그러나 이상한 일로 얼굴 모습은 완전히 다르면서도 그 부인이 빙그레 웃을 때에는 꼭 저 모나리자를 연상시킨다구 합니다. 그래서 그 친구는 자기 방 벽에도 애인의 사진 대신으로 모나리자를 걸어 놓았더군요. 그러나 그 좁은 방 안에 앉아서 그 모나리자를 바라보면 가슴이 터져 오는 고로 밤마다 이 곳으로 뛰쳐나와서 저 그림두 바라보고 또 그 〈미완성 교향악〉두 듣구, 이렇게 해서 그의 혼란한 마음을 위안시켜 왔던 것입니다."

저편에서 어떤 손님이 보이를 커다랗게 불렀다. 보이는 이야기가 더 듣고 싶은 모양이었으나 억지로 갔다.

"그런데, 그런데, 아까 저녁때에 입원해 있던 그 부인이 고만 세상을 떠났습니다. 거의 미친 사람처럼 된 내 친구를 겨우 이리루 끌구 왔었는데 그만 그 〈미완성 교향악〉이 그의 가슴을 찢어 놓았나 봐요.

그래서…… 사정이 그만하니까 아까 그 행동은 용서해 주시기 바랍니다. 참으루 미안했습니다. 난 또 어서 가 보아야 하겠습니다. 마음이 놓이지를 않으니……."

이튿날 밤.

찻집 '아네모네'에서는 언제나 그러한 것처럼 재즈 소리가 흘러나왔다. 방 안 공기는 어느 새 담배 연기로 안개 낀 것처럼 자욱해 있었다.

"아, 그런데 이 마담이 웬 변덕이 그렇게 많단 말야, 응? 어저께 귀고리를 새루 낀 것이 썩 어울린다구 야단들이기 한번 볼려구 일부러 왔는데 그 귀고린 어쨌소, 그래?"

하고 어떤 사나이가 말했다.

영숙이는 아무 대답도 없이 빙그레 웃어 보일 따름이었다. 그 웃음은 어딘가 구슬프고 고적한 기분을 띤 웃음이었다.

# 최인욱

## 월하취적도

지은이

1920~1972년. 1939년에 《조광》지에 〈월하취적도〉를 발표하면서 문단에
등장했다. 대표작인 〈월하취적도〉는 한국적인 토속성과 서정을 바탕으로, 두
남녀의 순정, 자연과 인간의 합일을 그린 비극적인 낭만 소설이다. 이후 〈개
나리〉 등의 작품을 발표했으나, 해방 이후에는 장편 역사소설과 대중소설로
전환해, 〈초적〉, 〈임꺽정〉, 〈만리장성〉 등을 발표했다.

# 월하취적도

월숙이는 그림 공부를 하였다. 그는 단 한 점의 그림을 남겨 두고 이 세상을 떠났으니 그 유작이 바로 정주의 책상 맞은편에 걸려 있는 〈월하취적도〉라고 하는 것이다.

운호사는 신라 애장왕 삼년에 창건한 오래된 절로서 법당 앞뜰에선 삼층 다보탑을 비롯하여 망월루 한옆에 달아매인 인경이며 그 밖에도 여러 가지 미술적인 조각이 허다하여 예로 이름이 높은데, 또 제월담·칠성대 등의 경치 좋은 곳이 많아 명승지로도 널리 알려졌다.

그 중에서도 제월담은 더욱 풍광이 아름답다. 운호사에서 서편으로 몇 발걸음 돌아나가면 조그만 개울을 하나 건너 극락전이란 여승의 암자가 있고, 거기서 다시 잡목 사이 좁은 길을 따라 한참을 내려가면 갑자기 지세가 푹 꺼지고 석산이 병풍처럼 둘러섰는데, 거기에 주위 약 삼백여 미터쯤 되는 늪이 있으니 사람들은 이 늪을 가리켜 제월담이라 하였다.

늪가에는 늙은 수양이 몇 그루 늘어서고 이끼가 퍼렇게 앉은 바위가 군데군데 자리잡고 있는데, 갈대와 잡초가 무성히 자라서 바위와 땅을 덮고 있다. 그리고 늪 가운데에는 석가산을 쌓아 올리고 그 위에는 고색이 창연한 자그마한 정자가 육각을 뻗고 섰다.

정자는 세운 지 몇 해나 되었는지 기왓장에는 이끼가 덮이고 군데군데 와초가 퍼렇게 자라고 있었다. 그리고 단청도 다 퇴색해지고 기둥이며 서까래에는 비가 새어 보기 싫게 얼룩이 졌는데, 얼룩이 진 데는 박꽃 같은 곰팡이가 피어나고 있었다.

어디서 곧 도깨비라도 뛰어나올 듯 무시무시한데다가 모두가 쓸쓸해보이는 그런 곳이다. 아니, 어딘지 좀 무시무시하고 쓸쓸해 보이는 그 때문에 이 곳을 명승지라 하는지도 모르겠다. 어쨌든 이 곳은 이상한 매력을 지닌 곳이라 아니할 수 없다. 그것은 누구나 한번 이 늪가에 발을 들여놓으면 무엇에 흐늑이 취한 것처럼 마음이 안온하여짐을 느낄 수 있는 것이다. 이것을 가리켜 위대한 자연의 힘이라 하는지도 모르겠다.

정주는 운호사로 정양을 온 후 밤마다 거의 한 차례씩 이 제월담 언저리로 산책을 나오는 것이 한 버릇으로 되어 버렸다.

그는 오늘 밤에도 S사에서 청탁 온 수필 하나를 써 놓고 다시 단편을 하나 구성하다 머리가 무거워지자 그만 방문을 차고 나오느라고 나온 것이 어느 새 또 제월담으로 내려오고야 말았다.

달 밝은 밤으로 이 늪가에 앉아서 장시간을 홀로 사색에 잠기는 것이 정주에게는 그 날의 일과인 동시에 하루를 두고도 제일 귀중한 시간이었다.

어쨌든 정주가 ××일보사를 나와 서울을 뚝 떠나서 이 곳으로 온 것은 어느 편으로 보나 다행한 일이라고 생각했다. 본디 몸이 그다지 건강치 못한데다 약 일 년 전부터는 불면증으로 잠 한숨 떳떳이 잘 수가 없고 보니 심신이 극도로 쇠약하여 얼굴은 핏기 한 점 볼 수 없이 노랗게 시들었다. 그리고 신문사에 나가서도 몇 시간만 의자에 붙어 앉았다 일어나면 현기증이 나서 펜을 쥐고 뒤로 넘어지는 일이 한두 번이 아니었다. 그뿐인가, 때로는 거리를 지나다가도 문득 다리가 와들와들 떨려 한참 동안을 오도가도 못하고 우두커니 섰거나 그렇지 않으면 살펴봐서 가까운 다방으로 기어들어가는 수도 있었다. 요컨대 정주가 이처럼 쇠약해진 것은 그 이유가 육체와 정신에 알맞은 그런 지반에다 생활을 두지 못한 탓으로 자처하고 있다. 그러면서도 날마다 사에 나가 집무에 시달리고 보니 몸이 나날이 더 쇠약해지는 것도 걱정이려니와 늘 뜻하던 창작에 충분한 시간을 가지지 못함을 못내 슬퍼하였다. 그러던 차에 다행으로 이 운호사의 주지 설만궁, 즉 정주의 외삼촌 되는 스님의 허락으로 약 일주일 전에 이 곳으로 내려오게 되었던 것이다.

정주는 이 곳을 자기에게 가장 알맞은 안식처라 생각했다. 실로 이 곳은 정주의 낙원이 되기에 그다지 손색이 없었다. 산수화처럼 아름다운 자연 속에서 몸과 마음을 쉬며 힘 미치는 데까지 독서와 창작의 삼매에서 놀 수 있는 곳, 그리고 때로는 노루새끼처럼 산으로 뛰어다니며 산새를 동무해서 하루 해를 즐거이 보낼 수 있는, 그야말로 속진을 떠난 이런 경치가 어찌 정주의 낙원이 되기에 모자랄 것이 있으랴.

정주가 이 곳으로 온 후부터 그의 가슴엔 알 수 없는 희열이 용솟음치고 마음이 기쁘고 보니 그런지 살과 기운이 날로 더해 감을 느낄 수 있었다. 사정이 허락할 수 있는 데까지 정주는 이 곳을 떠나지 않기로 작정을 하였다. 십 년이고 이십 년이고 결혼도 하지 말고 이렇게 살면서 힘껏 독서하고 창작하는 것이 정주의 둘도 없는 희망이었다. 정주에게 이 위에 또 다른 바람이 있다면 그것은 단 한 편이라도 좋으니 후세에 남을 만한 뛰어난 걸작을 얻는 그것뿐이다. 그것도 그럴 것이, 정주는 아직 문학밖에 다른 일에 마음을 빼앗겨 본 적이 없었다. 자기에게서 문학이 떠나는 날, 그 날부터 자기의 존재는 사멸인 줄로 알고 있다. 이만큼 그는 문학에 애착을 느끼는 인간이었다.

정주가 동경 ××대학 학부를 마치고 돌아와서 문단에 이름을 둔 지가 벌써 십 년, 그 동안이 길다면 무척 긴 세월이언만 그는 아직 자신을 가질 수 있는 작품을 한 편도 써 보지 못했다. 일부의 평론가와 독자층에서 얼마간 찬사를 보내는 일이 없지도 않으나, 그의 희망과 야심은 보다 큰 것이기 때문에 고작 그것으로 만족을 삼을 수는 없었다.

산골에는 시월달로 접어들고부터 가을이라기보다는 완연히 겨울 날씨였다. 아침으로 세수를 하려고 수건을 들고 개울로 나가다 보면 나뭇잎이 땅이 안 보이게 깔린 그 위에 서리가 하얗게 내려 있다.

정주가 이 곳으로 내려온 지 이 주일이 가까워진 어느 날이었다. 그는 해질 무렵하여 대웅전 뒷산 솔밭에서 군불 땔 나무를 주워 모으고 있었다. 검불은 갈퀴 대신 두 손으로 집어서 삼태기에다 담고 삭정이는 주워서 따로 모아 새끼로 둥쳐매었다. 바로 이 때다. 우연히도 정주의 시선이 극락전 마당을 거치다가 거기에서 색다른 것을 하나 발견하게 되었다. 차차로 햇볕이 사라지며 그 대신 엷은 저녁 그림자가 짙어 가는 쓸쓸한 정원 한 귀퉁이에 웬 얼굴이 몹시 파리한 여인이 발을 모으고 화석처럼 우두커니 섰는 것이 보이었다. 첫눈에 보아도 어딘지 천한 사람은 아닌 듯한데, 얼굴이 몹시 파리한 것을 보아 병인인 것만은 짐작할 수가 있었다.

이윽고 싸늘한 바람이 일면서 그 여인의 고동색 치마가 부드럽게 펄렁거렸다. 그와 동시에 담장 위에까지 솟은 코스모스 가지에서 연분홍과 자주색의 꽃잎새가 나비 떼처럼 날아 땅에 앉는다. 잠시 말이 없이 이것을 바라보던 여인은 살며시 허리를 굽혀 날아 앉은 꽃잎새들을 낱낱이 주워 모아 손에 가득히 차기를 기다려 허공에다 날려 본다. 꽃잎새들은 또 가볍게 팔랑거리며 땅 위로 날아 앉는다. 여인은 파리한 얼굴에다 잠시 엷은 웃음을 띠어 보더니 또 한 차례 꽃잎새들을 주워 모아 역시 아까처럼 날린다. 그러더니 이번에는 그 꽃잎들이 마저 날아 앉기도 전에 얼굴빛이 몹시 어두워지며 그만 발길을 돌려 부엌 모퉁이로 사라져 버린다.

'무얼 하는 여인일까?'

정주는 속으로 궁금한 생각을 하며 그 여인이 사라진 뒤에도 코스모스 피어 있는 적막한 정원을 한참이나 멍하니 바라보고 있었다. 그러다가 정원의 햇빛이 영영 사라지고 그 대신 음산한 어둠이 짙어 갈 무렵에야 비로소 제정신이 돌아와 나무한 것을 챙겨 가지고 터벅터벅 절로 내려왔다.


밤.

정주는 저녁을 먹는 길로 곧 제 방으로 돌아오고, 돌아와서는 이내 펼쳐져 있는 이부자리 위에 넘어지듯 쓰러져서 이마에 팔을 얹고 명상에 잠겨 있었다. 그러다가 문득 방 안이 밝아짐을 보고 놀란 듯 몸을 일으키니 동편 미닫이에 달빛이 가득히 찼다.

정주는 거의 미친 사람처럼 밖으로 뛰어나오고, 나와서는 그 길로 곧 제월담을 향해 허둥지둥 달음질을 쳤다.

달은 늘 보아도 좋고 제월담은 밤마다 나와도 싫증이 나지 않았다. 정주는 밤마다 한 차례씩 이 늪가로 나와서 산책하기를 게을리 하지 않았다. 어쩌다가 그만 밤 산책을 못하는 날이면 무언지 모르게 마음이 허전해지고, 뿐만 아니라 그날 밤따라 유독히 잠을 달게 못 자는 것이다. 설혹 잠을 잔다 해도 밤내 괴상한 꿈을 꾸곤 하였다.

오후부터 시작해서 그처럼 불던 바람도 뚝 그치고 제월담의 물도 거울처럼 한결 잔잔하였다. 오늘이 음력으로는 열 하루가 되니 만월이랄 수는 없으나 하늘이 청명한 탓인지 달빛은 오늘 밤따라 유난히도 밝았다.

정주는 늪가 늙은 수양버들 밑에 있는 이끼 앉은 바위에 걸터앉아서 팔짱을 낀 채 달빛을 바라보고 있었다. 이렇게 가만히 달을 치어다보고 있노라면 달이 점점 가까워지기도 하고 또는 그와 반대로 차차 까마득하게 멀어져서 나중에는 작은 고무볼만하게 보이는 수도 있었다.

이 때이다. 정주가 앉은 바위에서 바른손 편으로 얼마쯤 떨어진 곳에서 가는 인기척 소리가 났다. 원체 소리가 가늘긴 하였지만 정주는 그것이 분명히 사람의 기침 소리임을 알 수 있었다. 고개를 돌려 보아야 아무도 없었다. 정주는 갑자기 소름이 끼치도록 무서워졌다. 그리하여 눈이 휘둥그레서 찾는 중에 얼마를 지나서 마침내 사람의 그림자를 발견하게 되었다. 그리고 그게 바로 아까 극락전 정원 모퉁이에서 코스모스를 날리던 그 여인인 것도 보아 알 수 있었다. 그 얼굴이 푸르다 못해 양촛빛 모양을 하고 있는 것이며 검은 두 눈이 남달리 굵다란 것을 보아서 아까 그 여인임에 틀림이 없었다. 달빛에 보는 그 얼굴은 달빛 그것처럼 더욱 푸르렀다.

정주는 제 몸을 한 이십 도쯤 그 여인 편으로 돌리고 그 다음엔 이따금씩 목고개만을 돌려 아까 산에서처럼 여인의 동정에 관심을 기울였다.

그런데 이상하게도 정주는 그 여인을 어디서 본 듯 낯이 익어 보였다. 실상 정주가 그 여인을 예사로 보아 버릴 수 없는 것도 어딘지 낯이 익은 그 점에서다. 짐짓 생각하면 그가 누구더라는 것을 알아낼 것도 같은데 실은 좀처럼 생각나지 않았다.

그 여인은 정주처럼 조그만 바위에 걸터앉아 팔짱을 낀 채 종시 돌멩이처럼 꼼짝도 않고 내처 물 속에만 시선을 집중하고 있었다.

정주도 그가 하는 대로 물 속을 가만히 들여다보기도 했으나 물 속에 잠긴 달이 언뜻 눈에 들 뿐 그 밖에는 다른 아무것도 찾아낼 것이 없었다.

'저 여자는 대체 어디서 왔으며 무얼 하는 사람일까? 그리고 물 속엔 뭣이 있길래 저렇게 골똘히 들여다보나?'

여자에 대한 정주의 호기심은 더욱 커졌다.

그 이튿날도 그 사흘날도 정주가 늪가에로 나가면 나가는 대로 꼭 그 얼굴이 파리한 여인을 만날 수가 있었다.

그러다가 하룻밤에는 정주가 전보다 훨씬 늦게야 제월담으로 내려갔다. 이날 밤도 전날에 못지않게 달이 밝았다.

그런데 정주가 막 극락전 담장 밑을 돌아 늪으로 내려가는 좁은 길로 들어서려는데 늪에서 올라오는 그 여인과 마주쳤다.

정주가 어리둥절하는 동안에 그 여인은 날쌔게 극락전 대문 안으로 발을 넘겨 딛는다. 정주는 우두커니 서서 그 여인의 꼭뒤에다 눈을 보냈다. 여인은 그 길로 몸채에서 동남향으로 따로 나앉은 채의 방으로 들어가 버리는 것이었다.

정주는 늪으로 내려가지도 않고 대문에 붙어서서 여인의 뒷모습을 눈여겨보다가 그만 발길을 자기 처소로 돌리고 말았다. 요새 정주가 제월담 언저리로 산책을 나가는 것은 오로지 자연을 즐기자는 것뿐이 아니었다. 그런만큼 그 여인이 없는 제월담은 너무 쓸쓸하다. 그래서 정주는 좀더 일찍 나오지 못한 것을 후회하며 그대로 자기 처소로 돌아와 버렸던 것이다.

이튿날은 하루내 비가 왔다. 그리고 밤에는 비가 오지 않았으나 그 대신 안개가 자욱이 끼어서 달은 그만두고 별 하나를 구경할 수 없는 그런 밤이었다.

이런 날 밤에는 늘 하던 산책도 그만두는 수밖에 없었다. 물론 그 여인도 이런 밤에는 구태여 산책을 나올 리가 없을 것이다. 하나, 정주는 벌써 이틀 밤이나 제월담으로 산책을 나가 보지 못하는 심정이 안타까웠다.

정주는 시계가 열 시를 치는 소리를 듣자 보던 책을 덮어 두고 자리에 누웠다. 하나, 웬일인지 열두 시를 지나 새로 두 시가 다 되도록 잠은 오지 않았다. 본래 불면증으로 잠을 달게 못 자는 터이지만, 이 곳에 온 후로 아직 두 시까지 잠을 못 자 보기는 이번이 처음이었다.

정주는 하는 수 없이 그만 이불을 걷어차고 일어나서 벗어 놓은 옷을 다시 주섬주섬 챙겨 입고 밖으로 뛰어나왔다.

어둔 밤이다. 사방은 쥐죽은 듯 괴괴한데 이따금씩 나뭇가지를 울리고 가는 바람 소리만이 쏴아쏴아 하고 들릴 뿐이다. 정주는 팔짱을 낀 채 마당을 슬슬 거닐고 있었다. 이 때 어디선지 똑똑 하고 나무토막을 두드리는 듯한 소리가 바람결에 아련히 들려왔다.

정주의 두 눈에서 날카로운 광채가 일면서 그와 동시에 온몸을 떨었다. 일정한 간격을 두어 똑똑 들려오는 그 소리는 대체 무슨 소리일까? 귀에다 신경을 집중하고 골똘히 듣는 동안에 그 이상한 음향은 점점 뚜렷이 들려오는 것이다.

정주는 그 소리가 흘러오는 쪽을 찾으려 하였다. 어찌 들으면 흡사 뒷산에서 나는 것도 같고, 또 어찌 생각하면 극락전 편에서 울려 오는 듯도 하여 도무지 일정한 방향을 잡을 수가 없었다. 하나, 그도 얼마 아니하여 정주는 그 음향이 분명히 극락전 편에서 오는 것이란 확정을 짓게 되었다. 그렇다. 분명히 극락전 편이다. 그러자 정주는 일종의 모험심의 충동에 끌려 소리나는 쪽으로 향해 발을 옮겨 놓았다.

정주가 극락전 담장을 돌아 조그만 샛대문 옆에 발을 멈추었을 때 그 소리는 법당에서 나는 목탁 소리임을 알 수 있었다. 그러면 이 밤중에 뉘가 자지도 않고 저렇게 목탁을 울리며 기도를 올리는 것일까. 법당 안에는 불이 환히 켜져 있는데 목탁 소리에 맞추어 '관세음보살' 을 수 없이 외는 여승의 가늘고도 청아한 목소리가 흘러나왔다.

정주는 그제야 얼마간 마음이 놓이고 옴쳤던 가슴이 펴지는 것이었다. 그러자 뒤미처 또 이상한 소리가 정주의 귀를 놀라게 하였다. 온몸에 소름이 끼치도록 아주 무서운 소리였다.

샛대문에서 겨우 몇 걸음 들어가 있는, 그 얼굴이 파리한 여인의 숙소에서 흐느껴 우는 울음소리가 아련히 정주의 귀에까지 들려오는 것이다. 그리고 방 안에는 불도 켜져 있지 않았다. 그 캄캄한 방에서 '으흐흑'하고 청승맞게 흘러나오는 양 무서웠다. 잠시 멎었던 울음소리는 다시 계속된다. 정주는 더 견딜 수 없어 줄달음을 쳐서 자기 처소로 돌아와 버렸다.

그리하여 놀란 마음을 진정시키고 자리에 누웠다. 하나, 그 청승맞은 울음소리는 몸에 붙어 온 듯 곧장 귓전에서 난 것만 같았다.

이날 밤, 정주는 잠 한숨 이루지 못한 채로 새벽 쇠소리를 들었다.

그 이튿날, 정주가 조반을 치르고 나서 이내 제 방으로 돌아와 무거워진 머리를 책상에다 괴고 엎드려 있으려니 외삼촌이 들어오며,

"왜, 어디가 아프냐? 밤새 얼굴이 퍽 상했는걸."

하면서 걱정스런 얼굴빛으로 정주의 안색을 엿보는 것이었다.

외삼촌의 간곡한 물음에 정주는 '아무렇지도 않아요' 하는 간단한 대답을 하고 나서, 외삼촌이 앉기를 기다려 오래 두고 물어보려던 말을 비로소 끄집어내었다.

"저, 극락전에 기숙하고 있는 여자는 무엇 하는 사람이에요?"

묻기가 거북한 말이었으나 단숨에 말을 끝내고 외삼촌의 입만 바라보았다.

"거 참 불쌍한 사람이지. 서울 ××전문까지 졸업하고 주로 그림 공부해서, 몇 해 전엔 선전에 입선까지 한 일이 있었댔는데, 아까운 사람이 거 그만……."

외삼촌은 잠시 말을 중단하고 혼자 한숨을 쉬는 것이다.

"얼굴도 그만하면 못난 얼굴은 아닌데, 거 그만 폐병이 들어서…… 그래서 단 한 분 남아 있는 어머니가 머릴 깎고 중이 돼서 딸의 병이

낮기만 기도를 드리는 중인데 그 어머니도 참 장하시지. 꼭 밤중에 일어나서 찬물에 세수하고 지성으로 기도를 드리는데 참 탄복할 일이야."

"그러니까 그 어머니도 지금 극락전이란 데 와서 있는 게로군요?"

정주는 외삼촌의 말에 흥미를 느끼며 또 이렇게 물었다.

"그럼! 아주 머릴 깎고 여승이 됐다니까."

외삼촌은 일단 목소리를 낮추어 말을 계속했다.

"그런데 한 가지 이상한 것은 그 딸이 그믐밤이나 비 오는 날 밤이면 남몰래 잘 운다거든. 그러니 폐병도 폐병이려니와 그림에 너무 머리를 썩여서 약간 실성한 모양이야. 거 아직 시집도 안 간 처녀가 불쌍하지 않은가."

이 말에 정주는 처음 놀랐고 다음엔 모두가 사실임을 알 수 있었다. 어젯밤에 법당에서 목탁을 두드리며 기도를 드리던 것은 그의 어머니요, 여인의 방에서 나던 울음소리는 분명히 그 여인의 울음이었던 것을……

정주는 첫눈에도 그 여인을 어디서 본 듯 낯이 익었는데 외삼촌의 말을 듣고 나서 생각하니 그 언제인가 선전이 열렸을 때, 어느 신문에서 사진을 통해 본 듯한 기억이 희미하게 머리에 떠오르는 것이었다. 그리고 그 여인을 먼빛에서 처음 보던 날, 어둠이 짙어 가는 정원에서 코스모스를 날리던 것이며, 달이 밝은 때마다 제월담 언저리로 산책을 나와서 잔잔한 물 속을 들여다보던 것이며, 또 달이 없는 그런 밤에는 어인 일인지 방에 들어앉아서 청승맞게 우는 것, 이런 것들이 모두 정주에게 적지않은 회의를 갖게 하였다.

그리고 또 자기도 모르게 그 여인에게 갑자기 동정심이 쏟아지는 것은 웬일까? 그 여인의 슬픔을 덜어 주고 얼마쯤이라도 행복하게 하여 주고만 싶은 그런 심정이었다.

정주는 무단히 마음이 설레고 공연한 잡념이 일어나는 것이었다. 그래서 외삼촌의 뒤를 따라 이내 밖으로 나와 버렸다. 자연을 바라보며 신선한 공기를 들이켜면 흐렸던 기분이 다소라도 명랑해질까 해서다.

정주의 방 앞에서 얼마쯤 떨어진 담장 밑에는 소규모로 모아져 있는 화단이 있었다. 이 화단에는 코스모스가 한창이었다. 흰 것, 연분홍, 자주색이 서로 다투어 피어나고 아직 봉오리채 있는 것도 적지 않았다.

정주는 마루 끝에 정강이를 세우고 앉아 정신없이 화단을 내려다보다가 갑자기 두 눈을 크게 뜨고 놀랐다. 무성하게 자라 있는 파초 잎새를 맥줄을 따라 갈가리 찢어 놓은 것은 그 누구의 심술궂은 장난일까.

이것은 두말 할 것도 없이 분명코 그 장난꾸러기인 아래채 벙치 노장의 상좌 아이 혜성이란 놈의 짓거리라 판단이 내려질 때, 정주는 마침 샘가에서 푸성귀를 헹구고 있는 혜성이를 소리쳐 불렀다.

"너 왜 이 파초 잎새를 갈가리 찢어 놓는 거냐?"

정주는 그 애가 미처 오기도 전에 그만 화난 소리로 고함을 버럭 질렀다.

"전 그런 일 없었어요. 일부러 보기 좋게 기르는 건 줄 안 담에야 왜 그런 짓을 하겠어요?"

굳이 그렇달 바에야 하는 수 없는 일이었다. 그러나 그냥 두고 보기에는 무언지 모르게 기분이 나빴다. 그래 정주는 그 길로 곧 뛰어 내려가서 찢어진 파초 잎새를 아주 밑에 짬에서부터 곱게 도려내었다. 그러고 보니 한편이 좀 허술한 게 탈이었으나, 인제는 더 어쩌는 수가 없는 일이었다.

햇볕이 다양한 오후였다.

정주는 자기도 모르는 새 낮잠이 들었다가 깨었는데, 절 안은 사람

소리 하나 들어 볼 수 없이 한밤중처럼 고요하였다.

정주는 정신을 가다듬고 밖으로 뛰어나왔다. 그러자 뜻밖에도 극락전에 있는 그 폐병 든 여인이 방문 앞 화단에 와서 파초 잎새를 갈가리 찢으며 있는 것이 아닌가. 그러다가 정주가 갑작스레 미닫이를 열자, 당황하는 표정으로 그만 손을 멈칫하였다.

"오셨습니까?"

정주는 자기도 모르는 새에 이렇게 인사를 하였다. 그리고는 이어 잘못한 생각이 머리를 내리눌렀는데, 또 웬일인지 누가 잡아끄는 것처럼 발이 자꾸 그 여인의 곁으로 옮아져 가는 것이 아닌가. 그러자 여인은 정주의 인사에 적합한 대답은 하지도 않고 다른 말로 입을 연다.

"파초가 아주 무성한데요?"

이렇게 말하는 그 여인의 핼쑥한 얼굴에는 약간 홍조가 돌았다.

"예! 거 아주 무성해요. 이 화단에는 적어도 이게 왕자쯤은 되지요."

정주는 이렇게 말하며 파초 잎새 사이로 여인의 얼굴을 넘어다보았다.

두 사람의 사이에는 잠시 말이 끊어지고 그들을 싸고도는 분위기는 갑자기 침울하여졌다.

'응, 그럼 아침나절에 찢어 놓은 파초 잎새도 바로 이 여인의 소위로구나.'

정주는 이런 생각을 하며 한동안 파초 잎새만 만지작거리다가,

"햇볕이 꽤 따슨데요. 이 마루로 올라가서 좀 쉬었다 가시죠."
하고 눈으로 자기 방 앞을 가리키며 자기가 먼저 서너 단 되는 돌층계를 밟아 올라갔다.

"선생님은 바로 여기 계세요?"

여인은 한참 뒤에야 이런 말을 하며 층계를 밟아 올라와서 기둥을 지고 마루 끝에 걸터앉았다. 정주와는 꽤 먼 거리를 두고……

두 사람의 사이에는 또 잠깐 무거운 침묵이 지나갔다. 그러자 이번에는 여인이 먼저 입을 열었다.

"여기는 저 대가 참 좋아요. 그리구 이 파초랑."

여인은 대웅전 뒤편 대밭으로 눈을 보내는 듯하더니 이내 또 뜰 앞 파초로 시선을 옮긴다.

정주는 갑작스레 하는 말에 무어라 대답을 해야 좋을까 망설이다 그만 종시 입을 열지 못하였다. 그로부터 얼마가 지나 여인은 자리에서 일어서며,

"가겠어요"

하는 간단한 인사와 함께 목례를 보내는 듯하더니 그만 정주의 눈앞에서 사라져 버렸다.

이날 밤, 정주는 전과 다름없이 제월담으로 산책을 나갔다. 한데 늘 나오던 그 여인이 이날 밤만은 종시 나타나지 않는 것은 좀 이상하고 서운섭섭한 일이 아닐 수 없었다.

이튿날 밤도 정주는 여전히 제월담으로 산책을 나갔고, 또 나가는 대로 그 여인을 만날 수 있었다. 그리고 이날 밤엔 서로 자리를 같이해서 이야기도 할 수가 있었다. 여인도 이날 밤만은 침통하다거나 우울한 표정이 아니었고, 어딘지 명랑한 구석이 있었다. 또 그럼으로 해서 서로 친한 사이처럼 이야기도 곧잘 할 수가 있었다.

"그런데 선생님께서는 달을 좋아하시지 않으세요? 전 병이 든 뒤론 달이 무척 좋아져서요, 밤마다 여길 나와 달구경을 한답니다. 그리구 이 호수를 가만히 들여다보세요. 이 호수 속에도 달이 있지 않나. 전 어쩐지 이 달을 건진다면 건질 수도 있을 것 같아요."

늪가 바위에 정주와 같이한 여인은 일면 손가락으로 물 속을 가리키

며 이런 말을 하였다. 정주는 그제야 그가 늘 물 속을 들여다보던 것을 짐작할 수 있었다. 하나 그가 하도 엉터리없는 말을 하는 데는 다소 놀라지 않을 수 없는 일이었다.

"저도 달을 무던히 좋아합죠. 허지만 달이 허공에 있지 어디 물 속에 있나요?"

"그렇지만 저 봐요. 지금 저 물 속에 달이 있질 않나. 글쎄 좀 들여다보시라니까요."

여인은 짐짓 진실한 얼굴빛으로 이것 보라는 듯이 물 속을 가리킨다. 물 속에 달이 있는 것만은 사실이란 듯이…….

"있기는 있지요. 물 속에서도 달이 있긴 해요. 허지만 그건 거울에 물건의 형체가 나타나는 것처럼 물이 맑으니 달이 비치는 게지요. 그게 정말 달은 아니지 않아요. 자 이걸 보세요."

정주는 허리를 굽혀 돌멩이 하나를 주워 가지고 물 속에다 던졌다.

"자, 이걸 보세요. 이렇게 물결이 이니 어디 달이 있어요?"

"그렇지만……."

여인은 또 무슨 말을 하려다 말고 그만 입을 다물어 버린다.

정주는 참말 기가 막혔다. 그가 영 아무것도 분별할 줄을 모르는 바보라면 모르거니와 그래도 전문 이상의 현대 교육을 받은 그가 물 속의 달을 의심한다는 것은 참말 꿈 같은 일이었다. 이것은 반드시 이 여인의 정신에 이상이 생긴 것이라 정주는 믿어질 때, 정주는 어떻게 하든지 그럴듯한 말과 사실을 증명하여 착각을 고쳐 주려는 생각을 하고 다시 입을 열었다.

"그건 한 착각입니다. 아마두 달을 너무 좋아하시다 보니 그런 착각이 생긴 게죠, 하하하."

"착각이라구요? 원, 천만의 말씀을……."

여인은 의외에도 샐쭉해지면서 정주에게서 시선을 옮겨 다시 물 속을 들여다보았다.

　그러고 보니 정주는 기껏 한 말이 아무 효과도 얻지 못한 것은 고사하고 되레 그 여인의 주장을 더욱 강하게 만들어 준 것밖에는 아무런 소득도 없게 되었다.

　두 사람의 사이에는 한동안 침묵이 흘렀다. 정주는 말머리를 다른 방향으로 돌려 새로 말을 시작했다.

　"이런 곳에 혼자 계시면 퍽 고독을 느끼실 것 같은데……."

　"전 그렇지도 않아요. 사실인즉 한동안은 고독이 무척 싫어서 가끔 스케치를 오는 화가들을 만나면 생전 모르는 사람이라도 제가 자청 인사를 하구 이런 말 저런 말 지껄이기 좋아했었지요. 그런데 요새는 되레 고독을 사랑하게끔 되어 버렸답니다. 이 썩어 가는 몸뚱이에서 고독 그것마저 빼앗아 가는 사람이 있다면 그 날부터 전 완전히 사멸이지요. 아 참, 오늘 밤에는 너무 늦었군요. 그럼 선생님은 천천히 노시다……."

　"저도 그만 가렵니다."

　정주도 곧 여인의 뒤를 따라 절이 있는 쪽으로 걸음을 옮겼다.


　두렷한 보름달이 동편 숲 위로 한 발이나 넘어 솟아올랐다.

　정주가 소년처럼 휘파람을 불며 제월담으로 내려갔을 때, 그 여인은 어느 새 왔는지 바위에 앉아서 골똘히 물 속을 들여다보다가 살며시 이편으로 고개를 돌렸다.

　"오늘 밤은 달이 참 좋습니다."

　정주가 먼저 인사를 하니,

　"달이 참 좋아요."

하고 여인도 꼭 같은 소리로 인사를 하였다

정주는 전날과 같이 여인의 곁에 있는 바위에 걸터앉으며, 또 말을 시작했다.

"벌써 여러 번을 뵈면서도 서로 성함조차 모르고 있었군요."

이 말에 여인은 정주를 거들떠보는 일도 없이 간단히 자기 성명을 말해 주었다.

"전 이월숙이랍니다."

그러더니 손수건을 입에다 대고 가는 기침 소리를 두어 번 내고 나서, 한참 동안을 진정한 연후에 다시 입을 열었다.

"전 선생님의 소설을 퍽 재밌게 읽었어요. 지금도 가끔 선생님의 단편집을 읽어 보곤 하지요."

'그럼 이 여인은 내가 누구인 것을 알고 있었더란 말인가?'

정주는 이런 생각을 하며,

"되레 부끄럽습니다."

하고 그의 말에 대꾸했다.

"그런데 이거 참 체면없는 실례의 말씀이나 저에게 그림을 한 폭 주셨으면 하는데요. 그 대신 사례는 올리기루……."

정주는 말하기가 거북해서 말끝을 흐리는데 여인은 매우 조심스런 어조로 말하였다.

"글쎄요. 전 아직 제가 그린 그림을 아무에게도 주어 본 적이 없었어요. 어디 자신을 가질 만한 것이 돼야지요."

"그래도 꼭 한 폭만 갖고 싶습니다."

"허지만 여태까지 그린 것을 그저께 죄다 불살라 버린걸요. 그 중에 단 한 점만 남겨 둔 것이 있긴 하지만……."

월숙이는 끝내 승낙하는 말을 하지 않았다. 그렇달 바에야 굳이 그만 입 닫아 두는 수밖에 없는 일이었다. 정주는 화제를 바꾸었다.

"그런데 이런 곳에서 혼자 계시면 친구분들 생각이 나시지 않으세요?"

"제가 어디 친구가 있어야죠. 제가 친히 알고 지내는 사람은 어머니밖에 없는걸요. 그리고 있대야 제가 병이 든 뒤로는 그 뭐 모두들 절 싫어하고 슬슬 피하는 것만 같애요. 아니, 세상 사람이 다 그래요. 그러니 자연 나는 그 따위 사람이란 것들이 딱 보기 싫고 미워져요.(자기는 마치 사람이 아니기나 한 것처럼 말한다.) 그래서 거 구더기 같은 인간들보다는 오히려 한 가지 꽃과 달, 그런 데로 정이 쏠리고 더 애착을 느낀답니다."

"아니, 그럼 지금이래도 월숙 씨를 진정으로 사랑하는 이만 있다면 그땐 어쩌겠어요?"

"글쎄요, 허지만 전 지금 죽음의 길을 걷고 있는 몸이니깐요."

"그렇더라도 가리지 않고 진심으로 사랑한다면……."

정주의 말소리는 기어이 흥분되고 말았다. 월숙이는 잠시 무엇을 생각하는 표정이더니 서글픈 한숨을 가늘게 토하며 얼굴빛이 몹시 어두워진다.

"허나 그건 사랑이 아니라, 사랑이기보다는 일종의 동정심이나 그런 것 아니겠어요?"

정주의 열정적인 말이 월숙에게는 도로 마음 아프게 느껴졌던지 그는 이 말끝에 기침을 한바탕 몹시 하더니 몸을 가누지 못하고 그만 풀밭에 주저앉아 버린다.

이윽고 그 파랗던 얼굴은 갑자기 흙빛으로 변하며 그의 입에서는 마침내 새빨간 덩어리 피가 거의 한 되나 됨직하게 쏟아져 나왔다.

월숙이는 각혈이 얼마쯤 멎은 뒤 몹시 피곤한 빛을 하고 땅을 짚었던

바른쪽 손으로 왼쪽 소매 속에 든 손수건을 꺼내었다. 한동안 어쩔 줄을 모르고 혼자서 당황하던 정주는 얼른 그 손수건을 빼앗아 물에 흔들쳐 불끈 짜 가지고,

"아스세요, 그만두세요."

하는 말도 듣지 않고 입술에 묻은 피와 침을 조심스레 닦아 주었다. 월숙이도 그제는 굳이 우기려 하지 않고 의사 앞에 나온 때처럼 정주가 하는 대로만 보고 있었다.

이 때 정주의 마음은 끝없는 동정심으로 꽉 찼었다. 모든 것을 불구하고 와락 달려들어 꼭 껴안아 주고라도 싶은 충동이 불길같이 치밀어 올랐다.

"이제 따슨 방으로 가십시다."

정주는 이런 말을 하며 월숙이의 손을 꽉 잡아 이끌었다.

그 며칠 후였다.

'나는 월숙이를 사랑한다.'

정주는 마침내 이런 생각을 갖게 되었다. 월숙이를 사랑하다 병이 전염된다면…… 하고 되도록이면 그를 멀리하려고도 하였으나 불길같이 치미는 사랑에는 그런 것이 아무런 걱정도 근심도 될 것이 없었다. 힘껏 정성껏 월숙이를 간호하다 어떻게 그의 병이 나아진다면 그런 다행이 없는 일이요, 그와 반대로 병이 점점 더하여 나중에는 자신마저 병마의 손에 사로잡히는 한이 있더라도 그를 사랑하지 않고는 못 배길 것 같았다.

그리하여 오늘 밤에는 월숙이를 만나면 꼭 자기의 심정을 고백하리라는 생각을 굳게굳게 하고 설레는 마음으로 그는 제월담을 향하여 발을 옮겨 놓았다.

월숙이가 나오지 않았다. 전날 같으면 이 때쯤 해서 꼭 이 곳으로 내려와서 물 속을 들여다보고 있을 터인데 이날 밤엔 달만 외로이 물 속에 잠겨 있을 뿐이다.

정주는 혼자서 그가 나오기만 기다리고 있었으나 종시 아무 기척도 없었다. 그러나 정주는 이렇게 달이 밝은 밤에 그가 산책을 나오지 않을 리는 없으리라고 굳게 믿어졌으므로 쉬 발을 돌리지 않았다. 그리하여 늪 가장자리를 슬슬 거닐기도 하고, 또는 정자로 들어가서 난간에 걸터앉아 달구경을 하기도 하고, 그러다가 또 심심히면 실오라기같이 드리워진 수양버들 가지를 휘어잡아 그 잎새를 주루루 훑어서 물 위에 던져 보기도 하는 사이에 밤도 꽤 깊었으나 월숙이의 모습은 영영 나타나지 않았다. 정주는 하는 수 없이 그만 발길을 돌리긴 하였으나, 문득 며칠 전에 월숙이가 각혈을 하던 광경이 눈앞에 떠오르며 필시 병이 더해진 것이라 생각할 때 마음은 공포와 불안에 질리었다.

정주의 발이 극락전 앞에까지 이르렀을 때 법당에서는 전날과 같이 목탁 소리가 처량하게 흘러나오고, 월숙이의 방에는 불이 환히 켜져 있는데 이따금씩 기침 소리가 났다.

정주는 조심조심히 월숙이의 방 앞으로 걸어가서 몇 번이나 주저를 하다가 마침내 자기가 온 것을 알렸다.

"월숙 씨 계세요?"

그러자 한참 뒤에야 미닫이가 살며시 열리며 몸뚱이를 온통 이불로 둘러싼 월숙이의 파리한 모습이 나타났다.

"병이 더하셔요?"

정주는 놀라면서 말하였다. 그리고는 들어오라는 말도 채 듣지 않고 어느 새 마루 위로 발을 성큼 올려놓았다.

까물거리는 램프를 가운데 두고 방 안의 공기는 비린내를 풍긴다. 정주가 월숙이의 허락을 얻어 방 안으로 들어갔을 때, 그는 기침과 함께 새빨간 핏덩이를 요강에다 뱉는다.

그로부터 얼마를 지나 자리에 누운 월숙이는 억지로 진정을 하고 희미한 시선을 정주에게로 보내며,

"어떻게 이 밤에 예까지……."

하고 목이 쉰 듯한 소리로 말하였다.

"산책을 나갔다 오는 길에……."

정주는 말끝을 흐리며 약간 낯을 붉혔다.

월숙이는 심히 피곤한 빛으로 눈을 스르르 감는다.

정주는 어째 월숙이의 얼굴에다 자기의 강렬한 시선을 보내기가 조심스러워서 이리저리 방 안을 살피며 있었다. 방구석으로 놓인 책상 위에는 화필과 당채를 갠 접시가 어지러이 널려 있고 바로 그 옆에는 트렁크 하나가 짐짝 위에 포개져 있었다.

그로부터 또 얼마가 지나서 월숙이는 길게 한숨을 토하며,

"전 아무래도 이번이 마지막인 듯해요."

하고 이젠 아주 삶을 단념한 듯이 절망에 가까운 말을 한다. 이 말에 정주는 가슴이 뭉클하여 그의 앞으로 한걸음 다가앉으며,

"왜 그런 소릴 하세요. 사람의 명이 그렇게 쉽게 끊어지는 줄 아십니까? 그런 걱정은 아예 마시고 조리나 잘 하셔요. 저 그저 월숙 씨의 병이 낫기만 빌 뿐입니다."

정주는 이 말끝에 연달아 '전 당신을 사랑해요.' 하는 말이 나오려는 것을 억지로 참았다. 그것은 괜히 말을 냈다 위안은커녕 되레 병자의 마음을 흥분하게 만들까 하는 우려에서다. 하나, 정주는 그 말 대신 자기도 모르는 새에 그만 월숙이의 거미발같이 여윈 손을 꼭 쥐었다. 그러자 월숙이는 정주에게서 시선을 돌려 벽을 바라보는 듯하더니 이내 또 정주에게 쥐인 손을 빼면서 입을 열었다.

"선생님!"

정주는 대답 대신 월숙이의 얼굴에다 시선을 집중시키고 다음 말을 기다렸다. 월숙이는 자리에서 부스스 몸을 일으키더니 또 한 차례 기침을 대여섯 번이나 연거푸 하며 핏덩이를 뱉어 낸다. 그러더니 한동안 우두커니 앉아 진정을 한 뒤에 트렁크를 열고 무엇인지 종이에 둘둘 말아 싼 것을 끄집어내어 정주에게 내밀며,

"전, 선생님의 심정을 다 알고 있어요. 허나 저에게 조금도 동정심이나 그런 걸 가지진 말아 주세요. 그리구 이 뒤론 저를 찾지도 말구요. 이건 일전에 선생님이 말씀하시던 제 그림인데 가지고 가셔도 좋아요."

월숙이는 말을 맺고는 괴로운 듯이 도로 자리에 가 누워 버린다. 그러더니 웬걸, 또 기침을 자지러지게 하며 얼굴이 흙빛으로 질린다.

정주는 넋을 잃은 사람처럼 우두커니 앉았다가,

"그럼 조리 잘 하세요."

하는 단 한 마디를 남기고는, 내어놓은 그림을 가지고 월숙이의 방을 나오고 말았다.

그 때까지도 법당에서는 목탁 소리가 똑똑 일정한 간격을 두고 흘러 나왔다.

그 뒤 며칠을 두고 정주는 별로 나돌아다니는 일이 없이 밥만 먹으면 제 방에 들어박혀서 앉았다 누웠다 하고 있었다. 그렇게도 빠지 않고 늘 산책을 나가던 제월담에도 영 나가는 법이 없이 그 대신 월숙이의 그림을 책상 맞은편 벽에 걸어 두고 들여다보는 것이 일이었다. 어떤 날은 종일 그림만 들여다보다가 하루 해를 넘기는 수도 있었다.

그 그림은, 둥근 달 아래에 맑은 호수가 있고 그 호수 가장자리에는 고목이 다 된 수양이 몇 그루 실낱 같은 가지를 드리웠는데, 호수 저편에는 좀 멀리 모옥(띠 따위로 이은 집)이 한 채 숲에 가려 있고, 호수 이편으론 조금 떨어져 소나무 한 그루가 뼈다귀만 남은 가지를 뻗고 섰는데, 또 그 소나무 밑에는 이끼가 파아랗게 앉은 바위가 있고 그 바위 등에는 첨지가 한 분 비스듬히 누워 젓대를 부는 그런 그림이었다.

정주는 월숙이의 소식이 그리워서 벌써 몇 번이나 극락전 담장 밑에까지 찾아갔다가, 그가 하던 말을 생각하고는 스스로 낯을 붉히며 발길을 돌리곤 하였다.

그는 오늘도 제월담으로 산책을 나가는 대신 책상에 붙어 앉아서 턱을 괴고 밤이 깊도록 월숙이의 그림을 바라보다가 잠이 들었다.

그러다가 월숙이가 제월담 물 속으로 달을 건지러 들어가는 꿈을 꾸고 깜짝 놀라 깨어 보니 어느 새 문살이 훤히 밝아졌다.

그 꿈은 이러하였다. 월숙이가 눈빛같이 하얀 소복을 입고 달을 건진다고 하면서 제월담 물 속으로 기어드는 것이었다. 그리하여 머리까지 물 속으로 사라져 버릴 때 문득 고개를 들어 하늘을 바라보니, 의외에도 월숙이가 참말 달 속으로 점점 사라져 들어가는 것이 아닌가. 정주가 정신을 잃고 바라보는 동안에 달이 문득 월숙이의 얼굴로 보이기도 하고, 월숙이의 얼굴이 갑자기 달이기도 하였다. 그래서 손을 번쩍 들어 '월숙 씨!' 하고 부르다 깨 보니 그것은 꿈이었다.

날이 아주 활짝 밝아졌다.

절 안은 갑자기 사람 소리로 득실거리고 그 중에는 외삼촌의 무뚝뚝하고 우렁찬 말소리도 이따금씩 나는 것이었다.

'오늘은 기어이 월숙 씨를 찾아가서 내 심정을 고백하리라.'

정주는 이런 생각을 하고 나서 벽에 걸린 타월과 비누, 치분 같은 것을 챙겨 가지고 세수를 할 양으로 밖으로 나왔다.

"아유!"

간밤의 된서리에 풀잎새는 모두 펄펄 끓는 물에 데쳐낸 것처럼 시들어 버렸다. 코스모스는 윗둥치가 모두 척척 드리워지고, 그 무성하던 파초도 그냥 새파랗게 질려서 잎새의 줄기 한중간이 척 꺾여지고, 더러는 잠자리가 날개를 접은 때처럼 줄기만 두고 양편이 아래로 척 드리워져서 죄다 병적인 표정들이었다.

그 중에 오직 대웅전 옆에 있는 대만이 더 한층 청청한 빛을 보이는 것은 다 같은 초목하고도 너무 절개가 굳센 듯, 그리고 서리 바람에 뽀시시 피어나는 국화도 오늘 아침엔 되레 밉살스럴 지경으로 보이었다.

"흥! 아주 서리가 굉장히 왔는걸, 저 파초 꼬락서니 좀 보지."

외삼촌은 가사 장삼을 입고 팔짱을 낀 채 뜰을 거닐며 혼잣말처럼 중얼거리더니 얼마 아니하여 큰방으로 들어가 버린다.

꽤 쌀쌀한 바람이 불며 하늘은 성을 낸 듯 장히 음산해 보이었다. 곧 눈이라도 한 줄기 퍼부어야만 시원할 것 같은 상이다.

정주는 그 길로 샘으로 나가 세수를 하고 나서 수건으로 얼굴을 문지르며 몇 번이고 신선한 공기를 들이켰다.

바로 이 때다. 아래편에서 청승맞은 소리와 함께 상여가 한 대 떠올라 오며 앞뒤로 무수한 깃발이 바람에 펄렁거린다.

"저게 상여가 아니오?"

정주는 옆에서 무를 씻고 있는 공양주 스님에게 물었다. 공양주 스님은 상여가 올라오는 편은 거들떠보지도 않고 말로만,

"네!"

하고 간단히 대답을 할 뿐이다.

어허흥
어허흥
어허 넘차 어어허흥

상여 소리는 점점 가까워진다. 그리고 울긋불긋한 꽃으로 장식한 상여 맨 앞에는 아래채 벙치 노장이 가사 장삼을 입고 목탁을 치며 염불을 하고, 상여 바로 뒤에는 여승이 하나 그냥 목을 놓아 울며 따라온다.

정주가 넋을 잃고 우두커니 서서 상여를 바라보는데 공양주 스님이 묻지도 않는 말에 입을 연다.

"이 아래 극락전에 있던 폐병 든 처녀가 그저께 죽었어요."

'뭐? 월숙 씨가 죽어?'

정주는 깜짝 놀랐다. 놀라서 멍해 있는 동안에 상여는 개울을 건너 산모퉁이로 사라져 버린다.

# 작품 알아보기
## (단편 문학)

〈잉여인간〉은 제목 그대로 사회에 쓸모없이 남아 돌아가는 부평초 같은 인간 군상을 그리고 있다. 손창섭은 이 작품에서 친구 아내의 유혹에도 흔들리지 않고 스스로의 길을 가는 서만기라는 긍정적인 인간형을 창조해 내고 있다. 손창섭 문학의 원형이라고 볼 수 있는 〈비 오는 날〉은 미군 부대에 나가는 동욱과 동옥 남매를 통해 그들의 무기력한 삶을, 비 오는 날의 우중충한 분위기 속에 그려 내고 있다.

〈꺼삐딴 리〉는 일제 치하, 해방, 6·25 전쟁 등 역사의 소용돌이 속에서도 살아남은 카멜레온 같은 이인국 박사를 치밀하게 관찰한 작품이다. 〈흑산도〉는 서해의 섬 흑산도를 취재한 내용을 토대로 하여 이 섬에 운명적으로 매달려 사는 어민들의 생태를 그린 작품이다.

〈사랑 손님과 어머니〉에서는 옥희라는 계집아이의 눈으로 본 엄마와 사랑 손님의 사랑을 그리고 있다. 자유 연애와 봉건적 인습 사이에서 갈등하는 인물들의 심리가 옥희의 목소리를 통하여 전해진다. 〈아네모네 마담〉에서는 티룸 아네모네의 영숙이 한 대학생의 눈빛을 연정으로 착각하면서 벌어지는 헤프닝을 그리고 있다. 남녀간의 연애 감정을 낭만적으로 표현했다.

〈월하취적도〉는 신문사에서 일하던 정주가 절에 요양 온 월숙이라는 여자를 만나면서 시작된다. 죽음을 앞둔 여자의 심리적 불안과 여자를 바라보는 정주의 감정이 달밤을 배경으로 한 그림처럼 처연하게 그려진 작품이다.

# 논술 길잡이
(단편 문학)

❶ 아래의 내용은 〈비 오는 날〉의 시작 부분이다. 원구의 눈에
비친 동욱과 동옥 남매는 육체적 또는 정신적 불구자이다.
이들을 가리켜 '비에 젖어 있는 인생'이라고 표현한 작가의
의도를 생각해 보자.

이렇게 비 내리는 날이면 원구의 마음은 감당할 수 없도록 무거워
지는 것이었다. 그것은 동욱 남매의 음산한 생활 풍경이 그의 뇌를
영사막처럼 흘러가기 때문이었다. 빗소리를 들을 때마다 원구에게
는 으레 동욱과 그의 여동생 동옥이 생각나는 것이었다. 그들의 어
두운 방과 쓰러져 가는 목조 건물이 비의 장막 저편에 우울하게 떠
오르는 것이었다. 비록 맑은 날일지라도 동욱의 오뉘의 생활을 생
각하면, 원구의 귀에는 빗소리가 설레이고 그 마음 구석에는 빗물
이 스며 흐르는 것 같았다. 원구의 머릿속에 떠오르는 동욱과 동옥
은 그 모양으로 언제나 비에 젖어 있는 인생들이었다.

# 논술 길잡이
## (단편 문학)

❷ 〈꺼삐딴 리〉는 이인국 박사를 통해 격동의 현대사를 거쳐 오면서 기회주의적으로 행동하는 한 인간의 모습을 보여 주고 있다. 일제 시대에도 그는 친일 행각을 서슴지 않는데, 이러한 이인국 박사의 모습을 잘 보여 주는 장면을 찾아보자.

❸ 〈사랑 손님과 어머니〉는 어린아이의 눈을 통하여 본 봉건 시대 남녀의 사랑을 그리고 있다. 인습을 뛰어넘지 못하고 사랑하는 사람을 떠나보내야 하는 옥희 어머니의 심리를 생각해 보자.

# 논·술·한·국·대·표·문·학 〈전60권〉

펴 낸 이    정재상
펴 낸 곳    훈민출판사
주    소    경기도 고양시 덕양구 원당동 416번지
대 표 전 화    (031)962-3888
팩    스    (031)962-9998
출 판 등 록    제395-2003-000042호